LETTERA ENCICLICA

SPE SALVI

DEL SOMMO PONTEFICE

BENEDETTO XVI

AI VESCOVI
AI PRESBITERI E AI DIACONI
ALLE PERSONE CONSACRATE
E A TUTTI I FEDELI LAICI

SULLA SPERANZA CRISTIANA

Introduzione

1. «*Spe salvi facti sumus*» – nella speranza siamo stati salvati, dice san Paolo ai Romani e anche a noi (*Rm* 8,24). La «redenzione», la salvezza, secondo la fede cristiana, non è un semplice dato di fatto. La redenzione ci è offerta nel senso che ci è stata donata la speranza, una speranza affidabile, in virtù della quale noi possiamo affrontare il nostro presente: il presente, anche un presente faticoso, può essere vissuto ed accettato se conduce verso una meta e se di questa meta noi possiamo essere sicuri, se questa meta è così grande da giustificare la fatica del cammino. Ora, si impone immediatamente la domanda: ma di che genere è mai questa speranza per poter giustificare l'affermazione secondo cui a partire da essa, e semplicemente perché essa c'è, noi siamo redenti? E di quale tipo di certezza si tratta?

La fede è speranza

2. Prima di dedicarci a queste nostre domande, oggi particolarmente sentite, dobbiamo

ascoltare ancora un po' più attentamente la testimonianza della Bibbia sulla speranza. «Speranza», di fatto, è una parola centrale della fede
biblica – al punto che in diversi passi le parole
«fede» e «speranza» sembrano interscambiabili.
Così la *Lettera agli Ebrei* lega strettamente alla
«pienezza della fede» (10,22) la «immutabile professione della speranza» (10,23). Anche quando
la *Prima Lettera di Pietro* esorta i cristiani ad essere
sempre pronti a dare una risposta circa il *logos* – il
senso e la ragione – della loro speranza (cfr 3,15),
«speranza» è l'equivalente di «fede». Quanto sia
stato determinante per la consapevolezza dei primi cristiani l'aver ricevuto in dono una speranza
affidabile, si manifesta anche là dove viene messa
a confronto l'esistenza cristiana con la vita prima
della fede o con la situazione dei seguaci di altre
religioni. Paolo ricorda agli Efesini come, prima
del loro incontro con Cristo, fossero «senza speranza e senza Dio nel mondo» (*Ef* 2,12). Naturalmente egli sa che essi avevano avuto degli dèi,
che avevano avuto una religione, ma i loro dèi si
erano rivelati discutibili e dai loro miti contrad-
dittori non emanava alcuna speranza. Nonostante
gli dèi, essi erano «senza Dio» e conseguente-

mente si trovavano in un mondo buio, davanti a un futuro oscuro. «*In nihil ab nihilo quam cito recidimus*» (Nel nulla dal nulla quanto presto ricadiamo) [1] dice un epitaffio di quell'epoca – parole nelle quali appare senza mezzi termini ciò a cui Paolo accenna. Nello stesso senso egli dice ai Tessalonicesi: Voi non dovete «affliggervi come gli altri che non hanno speranza» (*1 Ts* 4,13). Anche qui compare come elemento distintivo dei cristiani il fatto che essi hanno un futuro: non è che sappiano nei particolari ciò che li attende, ma sanno nell'insieme che la loro vita non finisce nel vuoto. Solo quando il futuro è certo come realtà positiva, diventa vivibile anche il presente. Così possiamo ora dire: il cristianesimo non era soltanto una «buona notizia» – una comunicazione di contenuti fino a quel momento ignoti. Nel nostro linguaggio si direbbe: il messaggio cristiano non era solo «informativo», ma «performativo». Ciò significa: il Vangelo non è soltanto una comunicazione di cose che si possono sapere, ma è una comunicazione che produce fatti e cambia la vita. La porta oscura del tempo,

[1] *Corpus Inscriptionum Latinarum*, vol. VI, n. 26003.

del futuro, è stata spalancata. Chi ha speranza vive diversamente; gli è stata donata una vita nuova.

3. Ora, però, si impone la domanda: in che cosa consiste questa speranza che, come speranza, è «redenzione»? Bene: il nucleo della risposta è dato nel brano della *Lettera agli Efesini* citato poc'anzi: gli Efesini, prima dell'incontro con Cristo erano senza speranza, perché erano «senza Dio nel mondo». Giungere a conoscere Dio – il vero Dio, questo significa ricevere speranza. Per noi che viviamo da sempre con il concetto cristiano di Dio e ci siamo assuefatti ad esso, il possesso della speranza, che proviene dall'incontro reale con questo Dio, quasi non è più percepibile. L'esempio di una santa del nostro tempo può in qualche misura aiutarci a capire che cosa significhi incontrare per la prima volta e realmente questo Dio. Penso all'africana Giuseppina Bakhita, canonizzata da Papa Giovanni Paolo II. Era nata nel 1869 circa – lei stessa non sapeva la data precisa – nel Darfur, in Sudan. All'età di nove anni fu rapita da trafficanti di schiavi, picchiata a sangue e venduta cinque volte sui mercati

del Sudan. Da ultimo, come schiava si ritrovò al servizio della madre e della moglie di un generale e lì ogni giorno veniva fustigata fino al sangue; in conseguenza di ciò le rimasero per tutta la vita 144 cicatrici. Infine, nel 1882 fu comprata da un mercante italiano per il console italiano Callisto Legnani che, di fronte all'avanzata dei mahdisti, tornò in Italia. Qui, dopo «padroni» così terribili di cui fino a quel momento era stata proprietà, Bakhita venne a conoscere un «padrone» totalmente diverso – nel dialetto veneziano, che ora aveva imparato, chiamava «paron» il Dio vivente, il Dio di Gesù Cristo. Fino ad allora aveva conosciuto solo padroni che la disprezzavano e la maltrattavano o, nel caso migliore, la consideravano una schiava utile. Ora, però, sentiva dire che esiste un «paron» al di sopra di tutti i padroni, il Signore di tutti i signori, e che questo Signore è buono, la bontà in persona. Veniva a sapere che questo Signore conosceva anche lei, aveva creato anche lei – anzi che Egli la amava. Anche lei era amata, e proprio dal «Paron» supremo, davanti al quale tutti gli altri padroni sono essi stessi soltanto miseri servi. Lei era conosciuta e amata ed era attesa. Anzi, questo Padrone aveva affrontato in prima persona il destino di essere picchiato e ora la aspettava «alla destra di Dio Padre». Ora lei aveva «speranza» – non più solo la piccola speranza di trovare padroni meno crudeli, ma la grande speranza: io sono definitivamente amata e qualunque cosa accada – io sono attesa da questo Amore. E così la mia vita è buona. Mediante la conoscenza di questa speranza lei era «redenta», non si sentiva più schiava, ma libera figlia di Dio. Capiva ciò che Paolo intendeva quando ricordava agli Efesini che prima erano senza speranza e senza Dio nel mondo – senza speranza perché senza Dio. Così, quando si volle riportarla nel Sudan, Bakhita si rifiutò; non era disposta a farsi di nuovo separare dal suo «Paron». Il 9 gennaio 1890, fu battezzata e cresimata e ricevette la prima santa Comunione dalle mani del Patriarca di Venezia. L'8 dicembre 1896, a Verona, pronunciò i voti nella Congregazione delle suore Canossiane e da allora – accanto ai suoi lavori nella sagrestia e nella portineria del chiostro – cercò in vari viaggi in Italia soprattutto di sollecitare alla missione: la liberazione che aveva ricevuto mediante l'incontro con il Dio di Gesù Cristo, sentiva di doverla estendere, doveva essere donata anche ad altri, al maggior numero possibile di persone. La speranza, che era nata per lei e l'aveva «redenta», non poteva tenerla per sé; questa speranza doveva raggiungere molti, raggiungere tutti.

Il concetto di speranza basata sulla fede nel Nuovo Testamento e nella Chiesa primitiva

4. Prima di affrontare la domanda se l'incontro con quel Dio che in Cristo ci ha mostrato il suo Volto e aperto il suo Cuore possa essere anche per noi non solo «informativo», ma anche «performativo», vale a dire se possa trasformare la nostra vita così da farci sentire redenti mediante la speranza che esso esprime, torniamo ancora alla Chiesa primitiva. Non è difficile rendersi conto che l'esperienza della piccola schiava africana Bakhita è stata anche l'esperienza di molte persone picchiate e condannate alla schiavitù nell'epoca del cristianesimo nascente. Il cristianesimo non aveva portato un messaggio sociale-rivoluzionario come quello con cui Spartaco, in lotte cruente, aveva fallito. Gesù non era Spartaco, non era un combattente per una liberazione politica, come Barabba o Bar-Kochba. Ciò che Gesù, Egli stesso morto in croce, aveva portato era qualcosa di totalmente diverso: l'incontro col Signore di tutti i signori, l'incontro con il Dio vivente e così l'incontro con una speranza che era più forte delle sofferenze della schiavitù e che per questo trasformava dal di dentro la vita e il mondo. Ciò che di nuovo era avvenuto appare con massima evidenza nella *Lettera* di san Paolo *a Filemone*. Si tratta di una lettera molto personale, che Paolo scrive nel carcere e affida allo schiavo fuggitivo Onesimo per il suo padrone – appunto Filemone. Sì, Paolo rimanda lo schiavo al suo padrone da cui era fuggito, e lo fa non ordinando, ma pregando: «Ti supplico per il mio figlio che ho generato in catene [...] Te l'ho rimandato, lui, il mio cuore [...] Forse per questo è stato separato da te per un momento, perché tu lo riavessi per sempre; non più però come schiavo, ma molto più che schiavo, come un fratello carissimo» (*Fm* 10-16). Gli uomini che, secondo il loro stato civile, si rapportano tra loro come padroni e schiavi, in quanto membri dell'unica Chiesa sono diventati tra loro fratelli e sorelle – così i cristiani si chiamavano a vicenda. In virtù del Battesimo erano stati rigenerati, si erano abbeverati dello stesso Spirito e ricevevano insieme, uno accanto all'altro, il Corpo del Signore. Anche se le strutture esterne rimanevano le stesse, questo cambiava la società dal di dentro. Se la *Lettera agli Ebrei* dice che i cristiani quaggiù non hanno una dimora stabile, ma cercano quella futura (cfr *Eb* 11,13-16; *Fil* 3,20), ciò è tutt'altro che un semplice rimandare ad una prospettiva futura: la società presente viene riconosciuta dai cristiani come una società impropria; essi appartengono a una società nuova, verso la quale si trovano in cammino e che, nel loro pellegrinaggio, viene anticipata.

5. Dobbiamo aggiungere ancora un altro punto di vista. La *Prima Lettera ai Corinzi* (1,18-31) ci mostra che una grande parte dei primi cristiani apparteneva ai ceti sociali bassi e, proprio per questo, era disponibile all'esperienza della nuova speranza, come l'abbiamo incontrata nell'esempio di Bakhita. Tuttavia fin dall'inizio c'erano anche conversioni nei ceti aristocratici e colti. Poiché proprio anche loro vivevano «senza speranza e senza Dio nel mondo». Il mito aveva perso la sua credibilità; la religione di Stato romana si era sclerotizzata in semplice cerimoniale, che veniva eseguito scrupolosamente, ma ridotto ormai appunto solo ad una «religione politica». Il razionalismo filosofico aveva confinato gli dèi nel campo dell'irreale. Il Divino veniva visto in vari modi nelle forze cosmiche, ma un Dio che si potesse pregare non esisteva. Paolo illustra la problematica essenziale della religione di allora in modo assolutamente appropriato, quando contrappone alla vita «secondo Cristo» una vita sotto la signoria degli «elementi del cosmo» (*Col* 2,8). In questa prospettiva un testo di san Gregorio Nazianzeno può essere illuminante. Egli dice che nel momento in cui i magi guidati dalla stella adorarono il nuovo re Cristo, giunse la fine dell'astrologia, perché ormai le stelle girano secondo l'orbita determinata da Cristo.[2] Di fatto, in questa scena è capovolta la concezione del mondo di allora che, in modo diverso, è nuovamente in auge anche oggi. Non sono gli elementi del cosmo, le leggi della materia che in definitiva governano il mondo e l'uomo, ma un Dio personale governa le stelle, cioè l'universo; non le leggi della

[2] Cfr *Poemi dogmatici*, V, 53-64: *PG* 37, 428-429.

materia e dell'evoluzione sono l'ultima istanza, ma ragione, volontà, amore – una Persona. E se conosciamo questa Persona e Lei conosce noi, allora veramente l'inesorabile potere degli elementi materiali non è più l'ultima istanza; allora non siamo schiavi dell'universo e delle sue leggi, allora siamo liberi. Una tale consapevolezza ha determinato nell'antichità gli spiriti schietti in ricerca. Il cielo non è vuoto. La vita non è un semplice prodotto delle leggi e della casualità della materia, ma in tutto e contemporaneamente al di sopra di tutto c'è una volontà personale, c'è uno Spirito che in Gesù si è rivelato come Amore.[3]

6. I sarcofaghi degli inizi del cristianesimo illustrano visivamente questa concezione – al cospetto della morte, di fronte alla quale la questione circa il significato della vita si rende inevitabile. La figura di Cristo viene interpretata sugli antichi sarcofaghi soprattutto mediante due immagini: quella del filosofo e quella del pastore. Per filosofia allora, in genere, non si intendeva una diffi-

---

[3] Cfr *Catechismo della Chiesa Cattolica,* nn. 1817-1821.

cile disciplina accademica, come essa si presenta oggi. Il filosofo era piuttosto colui che sapeva insegnare l'arte essenziale: l'arte di essere uomo in modo retto – l'arte di vivere e di morire. Certamente gli uomini già da tempo si erano resi conto che gran parte di coloro che andavano in giro come filosofi, come maestri di vita, erano soltanto dei ciarlatani che con le loro parole si procuravano denaro, mentre sulla vera vita non avevano niente da dire. Tanto più si cercava il vero filosofo che sapesse veramente indicare la via della vita. Verso la fine del terzo secolo incontriamo per la prima volta a Roma, sul sarcofago di un bambino, nel contesto della risurrezione di Lazzaro, la figura di Cristo come del vero filosofo che in una mano tiene il Vangelo e nell'altra il bastone da viandante, proprio del filosofo. Con questo suo bastone Egli vince la morte; il Vangelo porta la verità che i filosofi peregrinanti avevano cercato invano. In questa immagine, che poi per un lungo periodo permaneva nell'arte dei sarcofaghi, si rende evidente ciò che le persone colte come le semplici trovavano in Cristo: Egli ci dice chi in realtà è l'uomo e che cosa egli deve fare per essere veramente uomo. Egli ci indica la

14

via e questa via è la verità. Egli stesso è tanto l'una quanto l'altra, e perciò è anche la vita della quale siamo tutti alla ricerca. Egli indica anche la via oltre la morte; solo chi è in grado di fare questo, è un vero maestro di vita. La stessa cosa si rende visibile nell'immagine del pastore. Come nella rappresentazione del filosofo, anche per la figura del pastore la Chiesa primitiva poteva riallacciarsi a modelli esistenti dell'arte romana. Lì il pastore era in genere espressione del sogno di una vita serena e semplice, di cui la gente nella confusione della grande città aveva nostalgia. Ora l'immagine veniva letta all'interno di uno scenario nuovo che le conferiva un contenuto più profondo: «Il Signore è il mio pastore: non manco di nulla ... Se dovessi camminare in una valle oscura, non temerei alcun male, perché tu sei con me ...» (*Sal* 23 [22], 1.4). Il vero pastore è Colui che conosce anche la via che passa per la valle della morte; Colui che anche sulla strada dell'ultima solitudine, nella quale nessuno può accompagnarmi, cammina con me guidandomi per attraversarla: Egli stesso ha percorso questa strada, è disceso nel regno della morte, l'ha vinta ed è tornato per accompagnare noi ora e darci la certezza che, insieme con Lui, un passaggio lo si trova. La consapevolezza che esiste Colui che anche nella morte mi accompagna e con il suo «bastone e il suo vincastro mi dà sicurezza», cosicché «non devo temere alcun male» (cfr *Sal* 23 [22],4) – era questa la nuova «speranza» che sorgeva sopra la vita dei credenti.

7. Dobbiamo ancora una volta tornare al Nuovo Testamento. Nell'undicesimo capitolo della *Lettera agli Ebrei* (v. 1) si trova una sorta di definizione della fede che intreccia strettamente questa virtù con la speranza. Intorno alla parola centrale di questa frase si è creata fin dalla Riforma una disputa tra gli esegeti, nella quale sembra riaprirsi oggi la via per una interpretazione comune. Per il momento lascio questa parola centrale non tradotta. La frase dunque suona così: «La fede è *hypostasis* delle cose che si sperano; prova delle cose che non si vedono». Per i Padri e per i teologi del Medioevo era chiaro che la parola greca *hypostasis* era da tradurre in latino con il termine *substantia*. La traduzione latina del testo, nata nella Chiesa antica, dice quindi: «*Est autem fides sperandarum substantia rerum, argumentum non*

apparentium» – la fede è la «sostanza» delle cose che si sperano; la prova delle cose che non si vedono. Tommaso d'Aquino,[4] utilizzando la terminologia della tradizione filosofica nella quale si trova, spiega questo così: la fede è un «*habitus*», cioè una costante disposizione dell'animo, grazie a cui la vita eterna prende inizio in noi e la ragione è portata a consentire a ciò che essa non vede. Il concetto di «sostanza» è quindi modificato nel senso che per la fede, in modo iniziale, potremmo dire «in germe» – quindi secondo la «sostanza» – sono già presenti in noi le cose che si sperano: il tutto, la vita vera. E proprio perché la cosa stessa è già presente, questa presenza di ciò che verrà crea anche certezza: questa «cosa» che deve venire non è ancora visibile nel mondo esterno (non «appare»), ma a causa del fatto che, come realtà iniziale e dinamica, la portiamo dentro di noi, nasce già ora una qualche percezione di essa. A Lutero, al quale la *Lettera agli Ebrei* non era in se stessa molto simpatica, il concetto di «sostanza», nel contesto della sua visione della fede, non diceva niente. Per questo intese il ter-

[4] *Summa Theologiae*, II-II^{ae}, q. 4, a. 1.

mine *ipostasi/sostanza* non nel senso oggettivo (di realtà presente in noi), ma in quello soggettivo, come espressione di un atteggiamento interiore e, di conseguenza, dovette naturalmente comprendere anche il termine *argumentum* come una disposizione del soggetto. Questa interpretazione nel XX secolo si è affermata – almeno in Germania – anche nell'esegesi cattolica, cosicché la traduzione ecumenica in lingua tedesca del Nuovo Testamento, approvata dai Vescovi, dice: « *Glaube aber ist: Feststehen in dem, was man erhofft, Überzeugtsein von dem, was man nicht sieht* » (fede è: stare saldi in ciò che si spera, essere convinti di ciò che non si vede). Questo in se stesso non è erroneo; non è però il senso del testo, perché il termine greco usato (*elenchos*) non ha il valore soggettivo di «convinzione», ma quello oggettivo di «prova». Giustamente pertanto la recente esegesi protestante ha raggiunto una convinzione diversa: «Ora però non può più essere messo in dubbio che questa interpretazione protestante, divenuta classica, è insostenibile».[5] La fede non è soltanto un personale protendersi verso le cose

    [5] H. KÖSTER: *ThWNT*, VIII (1969) 585.

che devono venire ma sono ancora totalmente assenti; essa ci dà qualcosa. Ci dà già ora qualcosa della realtà attesa, e questa realtà presente costituisce per noi una «prova» delle cose che ancora non si vedono. Essa attira dentro il presente il futuro, così che quest'ultimo non è più il puro «non-ancora». Il fatto che questo futuro esista, cambia il presente; il presente viene toccato dalla realtà futura, e così le cose future si riversano in quelle presenti e le presenti in quelle future.

8. Questa spiegazione viene ulteriormente rafforzata e rapportata alla vita concreta, se consideriamo il versetto 34 del decimo capitolo della *Lettera agli Ebrei* che, sotto l'aspetto linguistico e contenutistico, è collegato con questa definizione di una fede permeata di speranza e la prepara. Qui l'autore parla ai credenti che hanno subito l'esperienza della persecuzione e dice loro: «Avete preso parte alle sofferenze dei carcerati e avete accettato con gioia di essere spogliati delle vostre sostanze (*hyparchonton* – Vg: *bonorum*), sapendo di possedere beni migliori (*hyparxin* – Vg: *substantiam*) e più duraturi». *Hyparchonta* sono le proprietà, ciò che nella vita terrena costituisce il sostentamento, appunto la base, la «sostanza» per la vita sulla quale si conta. Questa «sostanza», la normale sicurezza per la vita, è stata tolta ai cristiani nel corso della persecuzione. L'hanno sopportato, perché comunque ritenevano questa sostanza materiale trascurabile. Potevano abbandonarla, perché avevano trovato una «base» migliore per la loro esistenza – una base che rimane e che nessuno può togliere. Non si può non vedere il collegamento che intercorre tra queste due specie di «sostanza», tra sostentamento o base materiale e l'affermazione della fede come «base», come «sostanza» che permane. La fede conferisce alla vita una nuova base, un nuovo fondamento sul quale l'uomo può poggiare e con ciò il fondamento abituale, l'affidabilità del reddito materiale, appunto, si relativizza. Si crea una nuova libertà di fronte a questo fondamento della vita che solo apparentemente è in grado di sostentare, anche se il suo significato normale non è con ciò certamente negato. Questa nuova libertà, la consapevolezza della nuova «sostanza» che ci è stata donata, si è rivelata non solo nel martirio, in cui le persone si sono opposte allo strapotere dell'ideologia e dei suoi organi politici, e, mediante la loro morte, hanno rinnovato il mondo. Essa si è mostrata soprattutto nelle grandi rinunce a partire dai monaci dell'antichità fino a Francesco d'Assisi e alle persone del nostro tempo che, nei moderni Istituti e Movimenti religiosi, per amore di Cristo hanno lasciato tutto per portare agli uomini la fede e l'amore di Cristo, per aiutare le persone sofferenti nel corpo e nell'anima. Lì la nuova « sostanza » si è comprovata realmente come « sostanza », dalla speranza di queste persone toccate da Cristo è scaturita speranza per altri che vivevano nel buio e senza speranza. Lì si è dimostrato che questa nuova vita possiede veramente « sostanza » ed è una « sostanza » che suscita vita per gli altri. Per noi che guardiamo queste figure, questo loro agire e vivere è di fatto una « prova » che le cose future, la promessa di Cristo non è soltanto una realtà attesa, ma una vera presenza: Egli è veramente il « filosofo » e il « pastore » che ci indica che cosa è e dove sta la vita.

9.   Per comprendere più nel profondo questa riflessione sulle due specie di sostanze – *hypostasis* e *hyparchonta* – e sui due modi di vita espres-

si con esse, dobbiamo riflettere ancora brevemente su due parole attinenti l'argomento, che si trovano nel decimo capitolo della *Lettera agli Ebrei*. Si tratta delle parole *hypomone* (10,36) e *hypostole* (10,39). *Hypomone* si traduce normalmente con « pazienza » – perseveranza, costanza. Questo saper aspettare sopportando pazientemente le prove è necessario al credente per poter « ottenere le cose promesse » (cfr 10,36). Nella religiosità dell'antico giudaismo questa parola veniva usata espressamente per l'attesa di Dio caratteristica di Israele: per questo perseverare nella fedeltà a Dio, sulla base della certezza dell'Alleanza, in un mondo che contraddice Dio. Così la parola indica una speranza vissuta, una vita basata sulla certezza della speranza. Nel Nuovo Testamento questa attesa di Dio, questo stare dalla parte di Dio assume un nuovo significato: in Cristo Dio si è mostrato. Ci ha ormai comunicato la « sostanza » delle cose future, e così l'attesa di Dio ottiene una nuova certezza. È attesa delle cose future a partire da un presente già donato. È attesa, alla presenza di Cristo, col Cristo presente, del completarsi del suo Corpo, in vista della sua venuta definitiva. Con *hypostole* invece è espresso il sottrarsi di chi non osa dire apertamente e con franchezza la verità forse pericolosa. Questo nascondersi davanti agli uomini per spirito di timore nei loro confronti conduce alla «perdizione» (*Eb* 10,39). «Dio non ci ha dato uno spirito di timidezza, ma di forza, di amore e di saggezza» – così invece la *Seconda Lettera a Timoteo* (1,7) caratterizza con una bella espressione l'atteggiamento di fondo del cristiano.

La vita eterna – che cos'è?

10. Abbiamo finora parlato della fede e della speranza nel Nuovo Testamento e agli inizi del cristianesimo; è stato però anche sempre evidente che non discorriamo solo del passato; l'intera riflessione interessa il vivere e morire dell'uomo in genere e quindi interessa anche noi qui ed ora. Tuttavia dobbiamo adesso domandarci esplicitamente: la fede cristiana è anche per noi oggi una speranza che trasforma e sorregge la nostra vita? È essa per noi «performativa» – un messaggio che plasma in modo nuovo la vita stessa, o è ormai soltanto «informazione» che, nel frattempo, abbiamo accantonata e che ci sembra superata da informazioni più recenti? Nella ricerca di una risposta vorrei partire dalla forma classica del dialogo con cui il rito del Battesimo esprimeva l'accoglienza del neonato nella comunità dei credenti e la sua rinascita in Cristo. Il sacerdote chiedeva innanzitutto quale nome i genitori avevano scelto per il bambino, e continuava poi con la domanda: «Che cosa chiedi alla Chiesa?» Risposta: «La fede». «E che cosa ti dona la fede?» «La vita eterna». Stando a questo dialogo, i genitori cercavano per il bambino l'accesso alla fede, la comunione con i credenti, perché vedevano nella fede la chiave per «la vita eterna». Di fatto, oggi come ieri, di questo si tratta nel Battesimo, quando si diventa cristiani: non soltanto di un atto di socializzazione entro la comunità, non semplicemente di accoglienza nella Chiesa. I genitori si aspettano di più per il battezzando: si aspettano che la fede, di cui è parte la corporeità della Chiesa e dei suoi sacramenti, gli doni la vita – la vita eterna. Fede è sostanza della speranza. Ma allora sorge la domanda: Vogliamo noi davvero questo – vivere eternamente? Forse oggi molte persone rifiutano la fede semplicemente perché la vita eterna non sembra loro una cosa desiderabile. Non vogliono affatto la vita eterna, ma quella presente, e la fede nella vita eterna sembra, per questo scopo, piuttosto un ostacolo. Continuare a vivere in eterno – senza fine – appare più una condanna che un dono. La morte, certamente, si vorrebbe rimandare il più possibile. Ma vivere sempre, senza un termine – questo, tutto sommato, può essere solo noioso e alla fine insopportabile. È precisamente questo che, per esempio, dice il Padre della Chiesa Ambrogio nel discorso funebre per il fratello defunto Satiro: «È vero che la morte non faceva parte della natura, ma fu resa realtà di natura; infatti Dio da principio non stabilì la morte, ma la diede quale rimedio [...] A causa della trasgressione, la vita degli uomini cominciò ad essere miserevole nella fatica quotidiana e nel pianto insopportabile. Doveva essere posto un termine al male, affinché la morte restituisse ciò che la vita aveva perduto. L'immortalità è un peso piuttosto che un vantaggio, se non la illumina la grazia».[6] Già prima Ambrogio aveva detto: «Non dev'essere pianta la morte, perché è causa di salvezza...».[7]

---

[6] *De excessu fratris sui Satyri*, II, 47: *CSEL* 73, 274.
[7] *Ibid.*, II, 46: *CSEL* 73, 273.

11. Qualunque cosa sant'Ambrogio inten-
desse dire precisamente con queste parole – è
vero che l'eliminazione della morte o anche il
suo rimando quasi illimitato metterebbe la terra
e l'umanità in una condizione impossibile e non
renderebbe neanche al singolo stesso un benefi-
cio. Ovviamente c'è una contraddizione nel nostro atteggiamento, che rimanda ad una contrad-
dittorietà interiore della nostra stessa esistenza.
Da una parte, non vogliamo morire; soprattutto
chi ci ama non vuole che moriamo. Dall'altra,
tuttavia, non desideriamo neppure di continuare
ad esistere illimitatamente e anche la terra non è
stata creata con questa prospettiva. Allora, che
cosa vogliamo veramente? Questo paradosso
del nostro stesso atteggiamento suscita una domanda più profonda: che cosa è, in realtà, la
« vita »? E che cosa significa veramente « eternità »? Ci sono dei momenti in cui percepiamo
all'improvviso: sì, sarebbe propriamente questo
– la « vita » vera – così essa dovrebbe essere. A
confronto, ciò che nella quotidianità chiamiamo
« vita », in verità non lo è. Agostino, nella sua
ampia lettera sulla preghiera indirizzata a Proba,
una vedova romana benestante e madre di tre

26

consoli, scrisse una volta: In fondo vogliamo una
sola cosa – «la vita beata», la vita che è semplicemente vita, semplicemente «felicità». Non c'è,
in fin dei conti, altro che chiediamo nella preghiera. Verso nient'altro ci siamo incamminati – di
questo solo si tratta. Ma poi Agostino dice anche:
guardando meglio, non sappiamo affatto che cosa
in fondo desideriamo, che cosa vorremmo propriamente. Non conosciamo per nulla questa
realtà; anche in quei momenti in cui pensiamo
di toccarla non la raggiungiamo veramente.
«Non sappiamo che cosa sia conveniente domandare», egli confessa con una parola di san
Paolo (*Rm* 8,26). Ciò che sappiamo è solo che
non è questo. Tuttavia, nel non sapere sappiamo che questa realtà deve esistere. «C'è dunque
in noi una, per così dire, dotta ignoranza» (*docta
ignorantia*), egli scrive. Non sappiamo che cosa
vorremmo veramente; non conosciamo questa
«vera vita»; e tuttavia sappiamo, che deve esistere un qualcosa che noi non conosciamo e
verso il quale ci sentiamo spinti.[8]

[8] Cfr Ep. 130 *Ad Probam* 14, 25-15, 28: *CSEL* 44, 68-73.

12. Penso che Agostino descriva lì in modo molto preciso e sempre valido la situazione essenziale dell'uomo, la situazione da cui provengono tutte le sue contraddizioni e le sue speranze. Desideriamo in qualche modo la vita stessa, quella vera, che non venga poi toccata neppure dalla morte; ma allo stesso tempo non conosciamo ciò verso cui ci sentiamo spinti. Non possiamo cessare di protenderci verso di esso e tuttavia sappiamo che tutto ciò che possiamo sperimentare o realizzare non è ciò che bramiamo. Questa « cosa » ignota è la vera « speranza » che ci spinge e il suo essere ignota è, al contempo, la causa di tutte le disperazioni come pure di tutti gli slanci positivi o distruttivi verso il mondo autentico e l'autentico uomo. La parola « vita eterna » cerca di dare un nome a questa sconosciuta realtà conosciuta. Necessariamente è una parola insufficiente che crea confusione. « Eterno », infatti, suscita in noi l'idea dell'interminabile, e questo ci fa paura; « vita » ci fa pensare alla vita da noi conosciuta, che amiamo e non vogliamo perdere e che, tuttavia, è spesso allo stesso tempo più fatica che appagamento, cosicché mentre per un verso la desideriamo, per l'altro non la vogliamo. Possiamo soltanto cercare di uscire col nostro pensiero dalla temporalità della quale siamo prigionieri e in qualche modo presagire che l'eternità non sia un continuo susseguirsi di giorni del calendario, ma qualcosa come il momento colmo di appagamento, in cui la totalità ci abbraccia e noi abbracciamo la totalità. Sarebbe il momento dell'immergersi nell'oceano dell'infinito amore, nel quale il tempo – il prima e il dopo – non esiste più. Possiamo soltanto cercare di pensare che questo momento è la vita in senso pieno, un sempre nuovo immergersi nella vastità dell'essere, mentre siamo semplicemente sopraffatti dalla gioia. Così lo esprime Gesù nel Vangelo di Giovanni: «Vi vedrò di nuovo e il vostro cuore si rallegrerà e nessuno vi potrà togliere la vostra gioia» (16,22). Dobbiamo pensare in questa direzione, se vogliamo capire a che cosa mira la speranza cristiana, che cosa aspettiamo dalla fede, dal nostro essere con Cristo.[9]

[9] Cfr *Catechismo della Chiesa Cattolica*, n. 1025.

La speranza cristiana è individualistica?

13. Nel corso della loro storia, i cristiani hanno cercato di tradurre questo sapere che non sa in figure rappresentabili, sviluppando immagini del «cielo» che restano sempre lontane da ciò che, appunto, conosciamo solo negativamente, mediante una non-conoscenza. Tutti questi tentativi di raffigurazione della speranza hanno dato a molti, nel corso dei secoli, lo slancio di vivere in base alla fede e di abbandonare per questo anche i loro «*hyparchonta*», le sostanze materiali per la loro esistenza. L'autore della *Lettera agli Ebrei*, nell'undicesimo capitolo ha tracciato una specie di storia di coloro che vivono nella speranza e del loro essere in cammino, una storia che da Abele giunge fino all'epoca sua. Di questo tipo di speranza si è accesa nel tempo moderno una critica sempre più dura: si tratterebbe di puro individualismo, che avrebbe abbandonato il mondo alla sua miseria e si sarebbe rifugiato in una salvezza eterna soltanto privata. Henri de Lubac, nell'introduzione alla sua opera fondamentale «*Catholicisme. Aspects sociaux du dogme*», ha raccolto alcune voci caratteristiche di questo genere di cui una merita di essere citata: «Ho trovato la gioia? No ... Ho trovato la mia gioia. E ciò è una cosa terribilmente diversa ... La gioia di Gesù può essere individuale. Può appartenere ad una sola persona, ed essa è salva. È nella pace..., per ora e per sempre, ma lei sola. Questa solitudine nella gioia non la turba. Al contrario: lei è, appunto, l'eletta! Nella sua beatitudine attraversa le battaglie con una rosa in mano».[10]

14.   Rispetto a ciò, de Lubac, sulla base della teologia dei Padri in tutta la sua vastità, ha potuto mostrare che la salvezza è stata sempre considerata come una realtà comunitaria. La stessa *Lettera agli Ebrei* parla di una «città» (cfr 11,10.16; 12,22; 13,14) e quindi di una salvezza comunitaria. Coerentemente, il peccato viene compreso dai Padri come distruzione dell'unità del genere umano, come frazionamento e divisione. Babele, il luogo della confusione delle lingue e della separazione, si rivela come espressione di ciò che in radice è il

[10] JEAN GIONO, *Les vraies richesses* (1936), Préface, Paris 1992, pp. 18-20, in: HENRI DE LUBAC, *Catholicisme. Aspects sociaux du dogme*, Paris 1983, p. VII.

peccato. E così la «redenzione» appare proprio come il ristabilimento dell'unità, in cui ci ritroviamo di nuovo insieme in un'unione che si delinea nella comunità mondiale dei credenti. Non è necessario che ci occupiamo qui di tutti i testi, in cui appare il carattere comunitario della speranza. Rimaniamo con la *Lettera a Proba* in cui Agostino tenta di illustrare un po' questa sconosciuta conosciuta realtà di cui siamo alla ricerca. Lo spunto da cui parte è semplicemente l'espressione «vita beata [felice]». Poi cita il *Salmo* 144 [143],15: «Beato il popolo il cui Dio è il Signore». E continua: «Per poter appartenere a questo popolo e giungere [...] alla vita perenne con Dio, "il fine del precetto è l'amore che viene da un cuore puro, da una coscienza buona e da una fede sincera" (*1 Tim* 1,5)».[11] Questa vita vera, verso la quale sempre cerchiamo di protenderci, è legata all'essere nell'unione esistenziale con un «popolo» e può realizzarsi per ogni singolo solo all'interno di questo «noi». Essa presuppone, appunto, l'esodo dalla prigionia del proprio «io», perché solo nell'apertura di questo soggetto universale si apre

[11] Ep. 130 *Ad Probam* 13, 24: *CSEL* 44, 67.

anche lo sguardo sulla fonte della gioia, sull'amore stesso – su Dio.

15. Questa visione della « vita beata » orientata verso la comunità ha di mira, sì, qualcosa al di là del mondo presente, ma proprio così ha a che fare anche con la edificazione del mondo – in forme molto diverse, secondo il contesto storico e le possibilità da esso offerte o escluse. Al tempo di Agostino, quando l'irruzione dei nuovi popoli minacciava la coesione del mondo, nella quale era data una certa garanzia di diritto e di vita in una comunità giuridica, si trattava di fortificare i fondamenti veramente portanti di questa comunità di vita e di pace, per poter sopravvivere nel mutamento del mondo. Cerchiamo di gettare, piuttosto a caso, uno sguardo su un momento del medioevo sotto certi aspetti emblematico. Nella coscienza comune, i monasteri apparivano come i luoghi della fuga dal mondo (« *contemptus mundi* ») e del sottrarsi alla responsabilità per il mondo nella ricerca della salvezza privata. Bernardo di Chiaravalle, che con il suo Ordine riformato portò una moltitudine di giovani nei monasteri, aveva su questo una visione ben diversa. Secondo lui, i monaci hanno un compito per tutta la Chiesa e di conseguenza anche per il mondo. Con molte immagini egli illustra la responsabilità dei monaci per l'intero organismo della Chiesa, anzi, per l'umanità; a loro egli applica la parola dello Pseudo-Rufino: «Il genere umano vive grazie a pochi; se non ci fossero quelli, il mondo perirebbe...».[12] I contemplativi – *contemplantes* – devono diventare lavoratori agricoli – *laborantes* –, ci dice. La nobiltà del lavoro, che il cristianesimo ha ereditato dal giudaismo, era emersa già nelle regole monastiche di Agostino e di Benedetto. Bernardo riprende nuovamente questo concetto. I giovani nobili che affluivano ai suoi monasteri dovevano piegarsi al lavoro manuale. Per la verità, Bernardo dice esplicitamente che neppure il monastero può ripristinare il Paradiso; sostiene però che esso deve, quasi luogo di dissodamento pratico e spirituale, preparare il nuovo Paradiso. Un appezzamento selvatico di bosco vien reso fertile – proprio mentre vengono allo stesso tempo abbattuti gli alberi della superbia, estirpato ciò che di selvatico cresce nelle anime e preparato così il terreno, sul

[12] *Sententiae* III, 118: *CCL* 6/2, 215.

quale può prosperare pane per il corpo e per l'anima.[13] Non ci è dato forse di costatare nuovamente, proprio di fronte alla storia attuale, che nessuna positiva strutturazione del mondo può riuscire là dove le anime inselvatichiscono?

La trasformazione
della fede-speranza cristiana
nel tempo moderno

16. Come ha potuto svilupparsi l'idea che il messaggio di Gesù sia strettamente individualistico e miri solo al singolo? Come si è arrivati a interpretare la «salvezza dell'anima» come fuga davanti alla responsabilità per l'insieme, e a considerare di conseguenza il programma del cristianesimo come ricerca egoistica della salvezza che si rifiuta al servizio degli altri? Per trovare una risposta all'interrogativo dobbiamo gettare uno sguardo sulle componenti fondamentali del tempo moderno. Esse appaiono con particolare chiarezza in Francesco Bacone. Che un'epoca nuova sia sorta – grazie alla scoperta dell'America e alle nuove conquiste tecniche che hanno consentito

[13] Cfr *ibid.* III, 71: *CCL* 6/2, 107-108.

questo sviluppo – è cosa indiscutibile. Su che cosa, però, si basa questa svolta epocale? È la nuova correlazione di esperimento e metodo che mette l'uomo in grado di arrivare ad un'interpretazione della natura conforme alle sue leggi e di conseguire così finalmente «la vittoria dell'arte sulla natura» (*victoria cursus artis super naturam*).[14] La novità – secondo la visione di Bacone – sta in una nuova correlazione tra scienza e prassi. Ciò viene poi applicato anche teologicamente: questa nuova correlazione tra scienza e prassi significherebbe che il dominio sulla creazione, dato all'uomo da Dio e perso nel peccato originale, verrebbe ristabilito.[15]

17. Chi legge queste affermazioni e vi riflette con attenzione, vi riconosce un passaggio sconcertante: fino a quel momento il ricupero di ciò che l'uomo nella cacciata dal paradiso terrestre aveva perso si attendeva dalla fede in Gesù Cristo, e in questo si vedeva la «redenzione». Ora questa «redenzione», la restaurazione del «paradiso» perduto, non si attende più dalla fede, ma

---

[14] *Novum Organum* I, 117.
[15] Cfr. *ibid.* I, 129.

dal collegamento appena scoperto tra scienza e prassi. Non è che la fede, con ciò, venga semplicemente negata; essa viene piuttosto spostata su un altro livello – quello delle cose solamente private ed ultraterrene – e allo stesso tempo diventa in qualche modo irrilevante per il mondo. Questa visione programmatica ha determinato il cammino dei tempi moderni e influenza pure l'attuale crisi della fede che, nel concreto, è soprattutto una crisi della speranza cristiana. Così anche la speranza, in Bacone, riceve una nuova forma. Ora si chiama: fede nel progresso. Per Bacone, infatti, è chiaro che le scoperte e le invenzioni appena avviate sono solo un inizio; che grazie alla sinergia di scienza e prassi seguiranno scoperte totalmente nuove, emergerà un mondo totalmente nuovo, il regno dell'uomo.[16] Così egli ha presentato anche una visione delle invenzioni prevedibili – fino all'aereo e al sommergibile. Durante l'ulteriore sviluppo dell'ideologia del progresso, la gioia per gli avanzamenti visibili delle potenzialità umane rimane una costante conferma della fede nel progresso come tale.

[16] Cfr *New Atlantis.*

18. Al contempo, due categorie entrano sempre più al centro dell'idea di progresso: ragione e libertà. Il progresso è soprattutto un progresso nel crescente dominio della ragione e questa ragione viene considerata ovviamente un potere del bene e per il bene. Il progresso è il superamento di tutte le dipendenze – è progresso verso la libertà perfetta. Anche la libertà viene vista solo come promessa, nella quale l'uomo si realizza verso la sua pienezza. In ambedue i concetti – libertà e ragione – è presente un aspetto politico. Il regno della ragione, infatti, è atteso come la nuova condizione dell'umanità diventata totalmente libera. Le condizioni politiche di un tale regno della ragione e della libertà, tuttavia, in un primo momento appaiono poco definite. Ragione e libertà sembrano garantire da sé, in virtù della loro intrinseca bontà, una nuova comunità umana perfetta. In ambedue i concetti-chiave di «ragione» e «libertà», però, il pensiero tacitamente va sempre anche al contrasto con i vincoli della fede e della Chiesa, come pure con i vincoli degli ordinamenti statali di allora. Ambedue i concetti portano quindi in sé un potenziale rivoluzionario di un'enorme forza esplosiva.

19. Dobbiamo brevemente gettare uno sguardo sulle due tappe essenziali della concretizzazione politica di questa speranza, perché sono di grande importanza per il cammino della speranza cristiana, per la sua comprensione e per la sua persistenza. C'è innanzitutto la Rivoluzione francese come tentativo di instaurare il dominio della ragione e della libertà ora anche in modo politicamente reale. L'Europa dell'Illuminismo, in un primo momento, ha guardato affascinata a questi avvenimenti, ma di fronte ai loro sviluppi ha poi dovuto riflettere in modo nuovo su ragione e libertà. Significativi per le due fasi della ricezione di ciò che era avvenuto in Francia sono due scritti di Immanuel Kant, in cui egli riflette sugli eventi. Nel 1792 scrive l'opera: «*Der Sieg des guten Prinzips über das böse und die Gründung eines Reichs Gottes auf Erden*» (La vittoria del principio buono su quello cattivo e la costituzione di un regno di Dio sulla terra). In essa egli dice: «Il passaggio graduale dalla fede ecclesiastica al dominio esclusivo della pura fede religiosa costituisce l'avvicinamento del regno di Dio».[17] Ci dice

---

[17] In: *Werke* IV, a cura di W. WEISCHEDEL (1956), 777.

anche che le rivoluzioni possono accelerare i tempi di questo passaggio dalla fede ecclesiastica alla fede razionale. Il «regno di Dio», di cui Gesù aveva parlato ha qui ricevuto una nuova definizione e assunto anche una nuova presenza; esiste, per così dire, una nuova «attesa immediata»: il «regno di Dio» arriva là dove la «fede ecclesiastica» viene superata e rimpiazzata dalla «fede religiosa», vale a dire dalla semplice fede razionale. Nel 1795, nello scritto «*Das Ende aller Dinge*» (La fine di tutte le cose) appare un'immagine mutata. Ora Kant prende in considerazione la possibilità che, accanto alla fine naturale di tutte le cose, se ne verifichi anche una contro natura, perversa. Scrive al riguardo: «Se il cristianesimo un giorno dovesse arrivare a non essere più degno di amore [...] allora il pensiero dominante degli uomini dovrebbe diventare quello di un rifiuto e di un'opposizione contro di esso; e l'anticristo [...] inaugurerebbe il suo, pur breve, regime (fondato presumibilmente sulla paura e sull'egoismo). In seguito, però, poiché il cristianesimo, pur essendo stato destinato ad essere la religione universale, di fatto non sarebbe stato aiutato dal destino a diventarlo, potrebbe verificarsi, sotto l'aspetto morale, la fine (perversa) di tutte le cose».[18]

20. L'Ottocento non venne meno alla sua fede nel progresso come nuova forma della speranza umana e continuò a considerare ragione e libertà come le stelle-guida da seguire sul cammino della speranza. L'avanzare sempre più veloce dello sviluppo tecnico e l'industrializzazione con esso collegata crearono, tuttavia, ben presto una situazione sociale del tutto nuova: si formò la classe dei lavoratori dell'industria e il cosiddetto «proletariato industriale», le cui terribili condizioni di vita Friedrich Engels nel 1845 illustrò in modo sconvolgente. Per il lettore doveva essere chiaro: questo non può continuare; è necessario un cambiamento. Ma il cambiamento avrebbe scosso e rovesciato l'intera struttura della società borghese. Dopo la rivoluzione borghese del 1789 era arrivata l'ora per una nuova rivoluzione, quella proletaria: il progresso non poteva semplicemente avanzare in modo lineare a piccoli passi. Ci voleva il salto rivoluzionario. Karl Marx raccolse

[18] I. KANT, *Das Ende aller Dinge*, in: *Werke* VI, a cura di W. WEISCHEDEL (1964), 190.

questo richiamo del momento e, con vigore di linguaggio e di pensiero, cercò di avviare questo nuovo passo grande e, come riteneva, definitivo della storia verso la salvezza – verso quello che Kant aveva qualificato come il «regno di Dio». Essendosi dileguata la verità dell'aldilà, si sarebbe ormai trattato di stabilire la verità dell'aldiquà. La critica del cielo si trasforma nella critica della terra, la critica della teologia nella critica della politica. Il progresso verso il meglio, verso il mondo definitivamente buono, non viene più semplicemente dalla scienza, ma dalla politica – da una politica pensata scientificamente, che sa riconoscere la struttura della storia e della società ed indica così la strada verso la rivoluzione, verso il cambiamento di tutte le cose. Con puntuale precisione, anche se in modo unilateralmente parziale, Marx ha descritto la situazione del suo tempo ed illustrato con grande capacità analitica le vie verso la rivoluzione – non solo teoricamente: con il partito comunista, nato dal manifesto comunista del 1848, l'ha anche concretamente avviata. La sua promessa, grazie all'acutezza delle analisi e alla chiara indicazione degli strumenti per il cambiamento radicale, ha affascinato ed affascina tuttora sempre di nuovo. La rivoluzione poi si è anche verificata nel modo più radicale in Russia.

21. Ma con la sua vittoria si è reso evidente anche l'errore fondamentale di Marx. Egli ha indicato con esattezza come realizzare il rovesciamento. Ma non ci ha detto come le cose avrebbero dovuto procedere dopo. Egli supponeva semplicemente che con l'espropriazione della classe dominante, con la caduta del potere politico e con la socializzazione dei mezzi di produzione si sarebbe realizzata la Nuova Gerusalemme. Allora, infatti, sarebbero state annullate tutte le contraddizioni, l'uomo e il mondo avrebbero visto finalmente chiaro in se stessi. Allora tutto avrebbe potuto procedere da sé sulla retta via, perché tutto sarebbe appartenuto a tutti e tutti avrebbero voluto il meglio l'uno per l'altro. Così, dopo la rivoluzione riuscita, Lenin dovette accorgersi che negli scritti del maestro non si trovava nessun'indicazione sul come procedere. Sì, egli aveva parlato della fase intermedia della dittatura del proletariato come di una necessità che, però, in un secondo tempo da sé si sarebbe dimostrata caduca. Questa «fase intermedia» la conosciamo benissimo e sappiamo anche come si sia poi sviluppata, non portando alla luce il mondo sano, ma lasciando dietro di sé una distruzione desolante. Marx non ha solo mancato di ideare gli ordinamenti necessari per il nuovo mondo – di questi, infatti, non doveva più esserci bisogno. Che egli di ciò non dica nulla, è logica conseguenza della sua impostazione. Il suo errore sta più in profondità. Egli ha dimenticato che l'uomo rimane sempre uomo. Ha dimenticato l'uomo e ha dimenticato la sua libertà. Ha dimenticato che la libertà rimane sempre libertà, anche per il male. Credeva che, una volta messa a posto l'economia, tutto sarebbe stato a posto. Il suo vero errore è il materialismo: l'uomo, infatti, non è solo il prodotto di condizioni economiche e non è possibile risanarlo solamente dall'esterno creando condizioni economiche favorevoli.

22. Così ci troviamo nuovamente davanti alla domanda: che cosa possiamo sperare? È necessaria un'autocritica dell'età moderna in dialogo col cristianesimo e con la sua concezione della speranza. In un tale dialogo anche i cristiani, nel contesto delle loro conoscenze e delle loro esperienze, devono imparare nuovamente in che cosa consista veramente la loro speranza, che cosa abbiano da offrire al mondo e che cosa invece non possano offrire. Bisogna che nell'autocritica dell'età moderna confluisca anche un'autocritica del cristianesimo moderno, che deve sempre di nuovo imparare a comprendere se stesso a partire dalle proprie radici. Su questo si possono qui tentare solo alcuni accenni. Innanzitutto c'è da chiedersi: che cosa significa veramente «progresso»; che cosa promette e che cosa non promette? Già nel XIX secolo esisteva una critica alla fede nel progresso. Nel XX secolo, Theodor W. Adorno ha formulato la problematicità della fede nel progresso in modo drastico: il progresso, visto da vicino, sarebbe il progresso dalla fionda alla megabomba. Ora, questo è, di fatto, un lato del progresso che non si deve mascherare. Detto altrimenti: si rende evidente l'ambiguità del progresso. Senza dubbio, esso offre nuove possibilità per il bene, ma apre anche possibilità abissali di male – possibilità che prima non esistevano. Noi tutti siamo diventati testimoni di come il progresso in mani sbagliate possa diventare e sia diventato, di fatto, un progresso terribile nel male. Se al progresso tecnico non corrisponde un progresso nella formazione etica dell'uomo, nella crescita dell'uomo interiore (cfr *Ef* 3,16; *2 Cor* 4,16), allora esso non è un progresso, ma una minaccia per l'uomo e per il mondo.

23. Per quanto riguarda i due grandi temi «ragione» e «libertà», qui possono essere solo accennate quelle domande che sono con essi collegate. Sì, la ragione è il grande dono di Dio all'uomo, e la vittoria della ragione sull'irrazionalità è anche uno scopo della fede cristiana. Ma quand'è che la ragione domina veramente? Quando si è staccata da Dio? Quando è diventata cieca per Dio? La ragione del potere e del fare è già la ragione intera? Se il progresso per essere progresso ha bisogno della crescita morale dell'umanità, allora la ragione del potere e del fare deve altrettanto urgentemente essere integrata mediante l'apertura della ragione alle forze salvifiche della fede, al discernimento tra bene e male. Solo così diventa una ragione veramente umana. Diventa umana solo se è in grado di indicare la strada alla volontà, e di questo è capace solo se guarda oltre se stessa. In caso contrario la situazione dell'uomo, nello squilibrio tra capacità materiale e mancanza di giudizio del cuore, diventa una minaccia per lui e per il creato. Così in tema di libertà, bisogna ricordare che la libertà umana richiede sempre un concorso di varie libertà. Questo concorso, tuttavia, non può riuscire, se non è determinato da un comune intrinseco criterio di misura, che è fondamento e meta della nostra libertà. Diciamolo ora in modo molto semplice: l'uomo ha bisogno di Dio, altrimenti resta privo di speranza. Visti gli sviluppi dell'età moderna, l'affermazione di san Paolo citata all'inizio (cfr *Ef* 2,12) si rivela molto realistica e semplicemente vera. Non vi è dubbio, pertanto, che un «regno di Dio» realizzato senza Dio – un regno quindi dell'uomo solo – si risolve inevitabilmente nella «fine perversa» di tutte le cose descritta da Kant: l'abbiamo visto e lo vediamo sempre di nuovo. Ma non vi è neppure dubbio che Dio entra veramente nelle cose umane solo se non è soltanto da noi pensato, ma se Egli stesso ci viene incontro e ci parla. Per questo la ragione ha bisogno della fede per arrivare ad essere totalmente se stessa: ragione e fede hanno bisogno l'una dell'altra per realizzare la loro vera natura e la loro missione.

La vera fisionomia della speranza cristiana

24. Chiediamoci ora di nuovo: che cosa possiamo sperare? E che cosa non possiamo sperare? Innanzitutto dobbiamo costatare che un progresso addizionabile è possibile solo in campo materiale. Qui, nella conoscenza crescente delle strutture della materia e in corrispondenza alle invenzioni sempre più avanzate, si dà chiaramente una continuità del progresso verso una padronanza sempre più grande della natura. Nell'ambito invece della consapevolezza etica e della decisione morale non c'è una simile possibilità di addizione per il semplice motivo che la libertà dell'uomo è sempre nuova e deve sempre nuovamente prendere le sue decisioni. Non sono mai semplicemente già prese per noi da altri – in tal caso, infatti, non saremmo più liberi. La libertà presuppone che nelle decisioni fondamentali ogni uomo, ogni generazione sia un nuovo inizio. Certamente, le nuove generazioni possono costruire sulle conoscenze e sulle esperienze di coloro che le hanno precedute, come possono attingere al tesoro morale dell'intera umanità. Ma possono anche rifiutarlo, perché esso non può avere la stessa evidenza delle invenzioni materiali. Il tesoro morale dell'umanità non è presente come sono presenti gli strumenti che si usano; esso esiste come invito alla libertà e come possibilità per essa. Ma ciò significa che:

a) il retto stato delle cose umane, il benessere morale del mondo non può mai essere garantito semplicemente mediante strutture, per quanto valide esse siano. Tali strutture sono non solo importanti, ma necessarie; esse tuttavia non possono e non devono mettere fuori gioco la libertà dell'uomo. Anche le strutture migliori funzionano soltanto se in una comunità sono vive delle convinzioni che siano in grado di motivare gli uomini ad una libera adesione all'ordinamento comunitario. La libertà necessita di una convinzione; una convinzione non esiste da sé, ma deve essere sempre di nuovo riconquistata comunitariamente.

b) Poiché l'uomo rimane sempre libero e poiché la sua libertà è sempre anche fragile, non esisterà mai in questo mondo il regno del bene definitivamente consolidato. Chi promette il mondo migliore che durerebbe irrevocabilmente per sempre, fa una promessa falsa; egli ignora la libertà umana. La libertà deve sempre di nuovo essere conquistata per il bene. La libera adesione al bene non esiste mai semplicemente da sé. Se ci fossero strutture che fissassero in modo irrevocabile una determinata – buona – condizione del mondo, sarebbe negata la libertà dell'uomo, e per questo motivo non sarebbero, in definitiva, per nulla strutture buone.

25.   Conseguenza di quanto detto è che la sempre nuova faticosa ricerca di retti ordinamenti per le cose umane è compito di ogni generazione; non è mai compito semplicemente concluso. Ogni generazione, tuttavia, deve anche recare il proprio contributo per stabilire convincenti ordinamenti di libertà e di bene, che aiutino la generazione successiva come orientamento per l'uso retto della libertà umana e diano così, sempre nei limiti umani, una certa garanzia anche per il futuro. In altre parole: le buone strutture aiutano, ma da sole non bastano. L'uomo non può mai essere redento semplicemente dall'esterno. Francesco Bacone e gli aderenti alla corrente di pensiero dell'età moderna a lui ispirata, nel ritenere che l'uomo sarebbe stato redento mediante la scienza, sbagliavano. Con una tale attesa si chiede troppo alla scienza; questa specie di speranza è fallace. La scienza può contribuire molto all'umanizzazione del mondo e dell'umanità. Essa però può anche distruggere l'uomo e il mondo, se non viene orientata da forze che si trovano al di fuori di essa. D'altra parte, dobbiamo anche constatare che il cristianesimo moderno, di fronte ai successi della scienza nella progressiva strutturazione del mondo, si era in gran parte concentrato soltanto sull'individuo e sulla sua salvezza. Con ciò ha ristretto l'orizzonte della sua speranza e non ha neppure riconosciuto sufficientemente la grandezza del suo compito – anche se resta grande ciò che ha continuato a fare nella formazione dell'uomo e nella cura dei deboli e dei sofferenti.

26. Non è la scienza che redime l'uomo. L'uomo viene redento mediante l'amore. Ciò vale già nell'ambito puramente intramondano. Quando uno nella sua vita fa l'esperienza di un grande amore, quello è un momento di «redenzione» che dà un senso nuovo alla sua vita. Ma ben presto egli si renderà anche conto che l'amore a lui donato non risolve, da solo, il problema della sua vita. È un amore che resta fragile. Può essere distrutto dalla morte. L'essere umano ha bisogno dell'amore incondizionato. Ha bisogno di quella certezza che gli fa dire: «Né morte né vita, né angeli ne principati, né presente né avvenire, né potenze, né altezze né profondità, né alcun'altra creatura potrà mai separarci dall'amore di Dio, che è in Cristo Gesù, nostro Signore» (*Rm* 8,38-39). Se esiste questo amore assoluto con la sua certezza assoluta, allora – soltanto allora – l'uomo è «redento», qualunque cosa gli accada nel caso particolare. È questo che si intende, quando diciamo: Gesù Cristo ci ha «redenti». Per mezzo di Lui siamo diventati certi di Dio – di un Dio che non costituisce una lontana «causa prima» del mondo, perché il suo Figlio unigenito si è fatto uomo e di Lui ciascuno può dire: «Vivo nella fede del Figlio di Dio, che mi ha amato e ha dato se stesso per me» (*Gal* 2,20).

27.   In questo senso è vero che chi non conosce Dio, pur potendo avere molteplici speranze, in fondo è senza speranza, senza la grande speranza che sorregge tutta la vita (cfr *Ef* 2,12). La vera, grande speranza dell'uomo, che resiste nonostante tutte le delusioni, può essere solo Dio – il Dio che ci ha amati e ci ama tuttora « sino alla fine », « fino al pieno compimento » (cfr *Gv* 13,1 e 19, 30). Chi viene toccato dall'amore comincia a intuire che cosa propriamente sarebbe « vita ». Comincia a intuire che cosa vuole dire la parola di speranza che abbiamo incontrato nel rito del Battesimo: dalla fede aspetto la « vita eterna » – la vita vera che, interamente e senza minacce, in tutta la sua pienezza è semplicemente vita. Gesù che di sé ha detto di essere venuto perché noi abbiamo la vita e l'abbiamo in pienezza, in abbondanza (cfr *Gv* 10,10), ci ha anche spiegato che cosa significhi « vita »: « Questa è la vita eterna: che conoscano te, l'unico vero Dio, e colui che hai mandato, Gesù Cristo » (*Gv* 17,3). La vita nel senso vero non la si ha in sé da soli e neppure solo da sé: essa è una relazione. E la vita nella sua totalità è relazione con Colui che è la sorgente della vita. Se siamo in relazione con Colui che non muore, che è la Vita stessa e lo stesso Amore, allora siamo nella vita. Allora «viviamo».

28. Ma ora sorge la domanda: in questo modo non siamo forse ricascati nuovamente nell'individualismo della salvezza? Nella speranza solo per me, che poi, appunto, non è una speranza vera, perché dimentica e trascura gli altri? No. Il rapporto con Dio si stabilisce attraverso la comunione con Gesù – da soli e con le sole nostre possibilità non ci arriviamo. La relazione con Gesù, però, è una relazione con Colui che ha dato se stesso in riscatto per tutti noi (cfr *1 Tm* 2,6). L'essere in comunione con Gesù Cristo ci coinvolge nel suo essere «per tutti», ne fa il nostro modo di essere. Egli ci impegna per gli altri, ma solo nella comunione con Lui diventa possibile esserci veramente per gli altri, per l'insieme. Vorrei, in questo contesto, citare il grande dottore greco della Chiesa, san Massimo il Confessore († 662), il quale dapprima esorta a non anteporre nulla alla conoscenza ed all'amore di Dio, ma poi arriva subito ad applicazioni molto pratiche: «Chi ama Dio non può riservare il denaro per sé. Lo distribuisce in modo 'divino' [...] nello stesso modo secondo la misura della giustizia».[19] Dall'amore verso Dio consegue la partecipazione alla giustizia e alla bontà di Dio verso gli altri; amare Dio richiede la libertà interiore di fronte ad ogni possesso e a tutte le cose materiali: l'amore di Dio si rivela nella responsabilità per l'altro.[20] La stessa connessione tra amore di Dio e responsabilità per gli uomini possiamo osservare in modo toccante nella vita di sant'Agostino. Dopo la sua conversione alla fede cristiana egli, insieme con alcuni amici di idee affini, voleva condurre una vita che fosse dedicata totalmente alla parola di Dio e alle cose eterne. Intendeva realizzare con valori cristiani l'ideale della vita contemplativa espressa dalla grande filosofia greca, scegliendo in questo modo «la parte migliore» (cfr *Lc* 10,42). Ma le cose andarono diversamente. Mentre partecipava alla Messa domenicale nella città portuale di Ippona, fu dal Vescovo chiamato fuori dalla folla e costretto a lasciarsi ordinare per l'esercizio del ministero sacerdotale in quella città. Guardando

[19] *Capitoli sulla carità, Centuria* 1, cap. 1: *PG 90*, 965.
[20] Cfr *ibid.*: *PG 90*, 962-966.

retrospettivamente a quell'ora egli scrive nelle sue *Confessioni*: «Atterrito dai miei peccati e dalla mole della mia miseria, avevo ventilato in cuor mio e meditato la fuga nella solitudine. Ma tu me l'hai impedito e mi hai confortato con la tua parola: «Cristo è morto per tutti, perché quelli che vivono non vivano più per se stessi, ma per colui che è morto per tutti» (cfr *2 Cor* 5,15)».[21] Cristo è morto per tutti. Vivere per Lui significa lasciarsi coinvolgere nel suo «essere per».

29.   Per Agostino ciò significò una vita totalmente nuova. Egli una volta descrisse così la sua quotidianità: «Correggere gli indisciplinati, confortare i pusillanimi, sostenere i deboli, confutare gli oppositori, guardarsi dai maligni, istruire gli ignoranti, stimolare i negligenti, frenare i litigiosi, moderare gli ambiziosi, incoraggiare gli sfiduciati, pacificare i contendenti, aiutare i bisognosi, liberare gli oppressi, mostrare approvazione ai buoni, tollerare i cattivi e [ahimè!] amare tutti».[22]

---

[21] *Conf.* X 43, 70: *CSEL* 33, 279.
[22] *Sermo* 340, 3: *PL* 38, 1484; cfr F. Van der Meer, *Augustinus der Seelsorger,* (1951), 318.

«È il Vangelo che mi spaventa»[23] – quello spavento salutare che ci impedisce di vivere per noi stessi e che ci spinge a trasmettere la nostra comune speranza. Di fatto, proprio questa era l'intenzione di Agostino: nella situazione difficile dell'impero romano, che minacciava anche l'Africa romana e, alla fine della vita di Agostino, addirittura la distrusse, trasmettere speranza – la speranza che gli veniva dalla fede e che, in totale contrasto col suo temperamento introverso, lo rese capace di partecipare decisamente e con tutte le forze all'edificazione della città. Nello stesso capitolo delle *Confessioni*, in cui abbiamo or ora visto il motivo decisivo del suo impegno «per tutti», egli dice: Cristo «intercede per noi, altrimenti dispererei. Sono molte e pesanti le debolezze, molte e pesanti, ma più abbondante è la tua medicina. Avremmo potuto credere che la tua Parola fosse lontana dal contatto dell'uomo e disperare di noi, se questa Parola non si fosse fatta carne e non avesse abitato in mezzo a noi».[24] In virtù della sua speranza, Agostino si è

  [23] *Sermo* 339, 4: *PL* 38, 1481.
  [24] *Conf.* X, 43, 69: *CSEL* 33, 279.

                                    57

prodigato per la gente semplice e per la sua città – ha rinunciato alla sua nobiltà spirituale e ha predicato ed agito in modo semplice per la gente semplice.

30. Riassumiamo ciò che finora è emerso nello sviluppo delle nostre riflessioni. L'uomo ha, nel succedersi dei giorni, molte speranze – più piccole o più grandi – diverse nei diversi periodi della sua vita. A volte può sembrare che una di queste speranze lo soddisfi totalmente e che non abbia bisogno di altre speranze. Nella gioventù può essere la speranza del grande e appagante amore; la speranza di una certa posizione nella professione, dell'uno o dell'altro successo determinante per il resto della vita. Quando, però, queste speranze si realizzano, appare con chiarezza che ciò non era, in realtà, il tutto. Si rende evidente che l'uomo ha bisogno di una speranza che vada oltre. Si rende evidente che può bastargli solo qualcosa di infinito, qualcosa che sarà sempre più di ciò che egli possa mai raggiungere. In questo senso il tempo moderno ha sviluppato la speranza dell'instaurazione di un mondo perfetto che, grazie alle conoscenze della scienza e ad una politica scientificamente fondata, sembrava esser diventata realizzabile. Così la speranza biblica del regno di Dio è stata rimpiazzata dalla speranza del regno dell'uomo, dalla speranza di un mondo migliore che sarebbe il vero «regno di Dio». Questa sembrava finalmente la speranza grande e realistica, di cui l'uomo ha bisogno. Essa era in grado di mobilitare – per un certo tempo – tutte le energie dell'uomo; il grande obiettivo sembrava meritevole di ogni impegno. Ma nel corso del tempo apparve chiaro che questa speranza fugge sempre più lontano. Innanzitutto ci si rese conto che questa era forse una speranza per gli uomini di dopodomani, ma non una speranza per me. E benché il «per tutti» faccia parte della grande speranza – non posso, infatti, diventare felice contro e senza gli altri – resta vero che una speranza che non riguardi me in persona non è neppure una vera speranza. E diventò evidente che questa era una speranza contro la libertà, perché la situazione delle cose umane dipende in ogni generazione nuovamente dalla libera decisione degli uomini che ad essa appartengono. Se questa libertà, a causa delle condizioni e delle strutture, fosse loro tolta, il mondo, in fin dei conti, non sarebbe buono, perché un mondo senza libertà non è per nulla un mondo buono. Così, pur essendo necessario un continuo impegno per il miglioramento del mondo, il mondo migliore di domani non può essere il contenuto proprio e sufficiente della nostra speranza. E sempre a questo proposito si pone la domanda: Quando è «migliore» il mondo? Che cosa lo rende buono? Secondo quale criterio si può valutare il suo essere buono? E per quali vie si può raggiungere questa «bontà»?

31. Ancora: noi abbiamo bisogno delle speranze – più piccole o più grandi – che, giorno per giorno, ci mantengono in cammino. Ma senza la grande speranza, che deve superare tutto il resto, esse non bastano. Questa grande speranza può essere solo Dio, che abbraccia l'universo e che può proporci e donarci ciò che, da soli, non possiamo raggiungere. Proprio l'essere gratificato di un dono fa parte della speranza. Dio è il fondamento della speranza – non un qualsiasi dio, ma quel Dio che possiede un volto umano e che ci ha amati sino alla fine: ogni singolo e l'umanità nel suo insieme. Il suo regno non è un aldilà immaginario, posto in un futuro che non arriva mai; il suo regno è presente là dove Egli è amato e dove il suo amore ci raggiunge. Solo il suo amore ci dà la possibilità di perseverare con ogni sobrietà giorno per giorno, senza perdere lo slancio della speranza, in un mondo che, per sua natura, è imperfetto. E il suo amore, allo stesso tempo, è per noi la garanzia che esiste ciò che solo vagamente intuiamo e, tuttavia, nell'intimo aspettiamo: la vita che è «veramente» vita. Cerchiamo di concretizzare ulteriormente questa idea in un'ultima parte, rivolgendo la nostra attenzione ad alcuni «luoghi» di pratico apprendimento ed esercizio della speranza.

«Luoghi» di apprendimento e di esercizio della speranza

I. La preghiera come scuola della speranza

32. Un primo essenziale luogo di apprendimento della speranza è la preghiera. Se non mi ascolta più nessuno, Dio mi ascolta ancora. Se non posso più parlare con nessuno, più nessuno invocare, a Dio posso sempre parlare. Se non c'è più nessuno che possa aiutarmi – dove si tratta di una necessità o di un'attesa che supera l'umana capacità di sperare – Egli può aiutarmi.[25] Se sono relegato in estrema solitudine...; ma l'orante non è mai totalmente solo. Da tredici anni di prigionia, di cui nove in isolamento, l'indimenticabile Cardinale Nguyen Van Thuan ci ha lasciato un prezioso libretto: *Preghiere di speranza*. Durante tredici anni di carcere, in una situazione di disperazione apparentemente totale, l'ascolto di Dio, il poter parlargli, divenne per lui una crescente forza di speranza, che dopo il suo rilascio gli consentì di diventare per gli uomini in tutto il mondo un testimone della speranza – di quella grande speranza che anche nelle notti della solitudine non tramonta.

33. In modo molto bello Agostino ha illustrato l'intima relazione tra preghiera e speranza in una omelia sulla *Prima Lettera di Giovanni*. Egli definisce la preghiera come un esercizio del desiderio. L'uomo è stato creato per una realtà grande – per Dio stesso, per essere riempito da Lui.

[25] Cfr *Catechismo della Chiesa Cattolica,* n. 2657.

Ma il suo cuore è troppo stretto per la grande realtà che gli è assegnata. Deve essere allargato. «Rinviando [il suo dono], Dio allarga il nostro desiderio; mediante il desiderio allarga l'animo e dilatandolo lo rende più capace [di accogliere Lui stesso]». Agostino rimanda a san Paolo che dice di sé di vivere proteso verso le cose che devono venire (cfr *Fil* 3,13). Poi usa un'immagine molto bella per descrivere questo processo di allargamento e di preparazione del cuore umano. «Supponi che Dio ti voglia riempire di miele [simbolo della tenerezza di Dio e della sua bontà]. Se tu, però, sei pieno di aceto, dove metterai il miele?» Il vaso, cioè il cuore, deve prima essere allargato e poi pulito: liberato dall'aceto e dal suo sapore. Ciò richiede lavoro, costa dolore, ma solo così si realizza l'adattamento a ciò a cui siamo destinati.[26] Anche se Agostino parla direttamente solo della ricettività per Dio, appare tuttavia chiaro che l'uomo, in questo lavoro col quale si libera dall'aceto e dal sapore dell'aceto, non diventa solo libero per Dio, ma appunto si apre anche agli altri. Solo diventando figli di Dio, infatti, possia-

[26] Cfr *In 1 Joannis* 4, 6: *PL* 35, 2008s.

mo stare con il nostro Padre comune. Pregare non significa uscire dalla storia e ritirarsi nell'angolo privato della propria felicità. Il giusto modo di pregare è un processo di purificazione interiore che ci fa capaci per Dio e, proprio così, anche capaci per gli uomini. Nella preghiera l'uomo deve imparare che cosa egli possa veramente chiedere a Dio – che cosa sia degno di Dio. Deve imparare che non può pregare contro l'altro. Deve imparare che non può chiedere le cose superficiali e comode che desidera al momento – la piccola speranza sbagliata che lo conduce lontano da Dio. Deve purificare i suoi desideri e le sue speranze. Deve liberarsi dalle menzogne segrete con cui inganna se stesso: Dio le scruta, e il confronto con Dio costringe l'uomo a riconoscerle pure lui. «Le inavvertenze chi le discerne? Assolvimi dalla colpe che non vedo», prega il Salmista (19[18],13). Il non riconoscimento della colpa, l'illusione di innocenza non mi giustifica e non mi salva, perché l'intorpidimento della coscienza, l'incapacità di riconoscere il male come tale in me, è colpa mia. Se non c'è Dio, devo forse rifugiarmi in tali menzogne, perché non c'è nessuno che possa perdonarmi, nessuno che sia la misura vera. L'incontro invece con Dio risveglia la mia coscienza, perché essa non mi fornisca più un'autogiustificazione, non sia più un riflesso di me stesso e dei contemporanei che mi condizionano, ma diventi capacità di ascolto del Bene stesso.

34. Affinché la preghiera sviluppi questa forza purificatrice, essa deve, da una parte, essere molto personale, un confronto del mio io con Dio, con il Dio vivente. Dall'altra, tuttavia, essa deve essere sempre di nuovo guidata ed illuminata dalle grandi preghiere della Chiesa e dei santi, dalla preghiera liturgica, nella quale il Signore ci insegna continuamente a pregare nel modo giusto. Il Cardinale Nguyen Van Thuan, nel suo libro di Esercizi spirituali, ha raccontato come nella sua vita c'erano stati lunghi periodi di incapacità di pregare e come egli si era aggrappato alle parole di preghiera della Chiesa: al Padre nostro, all'Ave Maria e alle preghiere della Liturgia.[27] Nel pregare deve sempre esserci questo intreccio tra preghiera pubblica e preghiera personale. Così possiamo

[27] *Testimoni della speranza*, Città Nuova 2000, 156s.

parlare a Dio, così Dio parla a noi. In questo modo si realizzano in noi le purificazioni, mediante le quali diventiamo capaci di Dio e siamo resi idonei al servizio degli uomini. Così diventiamo capaci della grande speranza e così diventiamo ministri della speranza per gli altri: la speranza in senso cristiano è sempre anche speranza per gli altri. Ed è speranza attiva, nella quale lottiamo perché le cose non vadano verso «la fine perversa». È speranza attiva proprio anche nel senso che teniamo il mondo aperto a Dio. Solo così essa rimane anche speranza veramente umana.

II. Agire e soffrire come luoghi di apprendimento della speranza

35. Ogni agire serio e retto dell'uomo è speranza in atto. Lo è innanzitutto nel senso che cerchiamo così di portare avanti le nostre speranze, più piccole o più grandi: risolvere questo o quell'altro compito che per l'ulteriore cammino della nostra vita è importante; col nostro impegno dare un contributo affinché il mondo diventi un po' più luminoso e umano e così si aprano anche le porte verso il futuro. Ma l'impegno quotidiano per la prosecuzione della nostra vita e per il futuro dell'insieme ci stanca o si muta in fanatismo, se non ci illumina la luce di quella grande speranza che non può essere distrutta neppure da insuccessi nel piccolo e dal fallimento in vicende di portata storica. Se non possiamo sperare più di quanto è effettivamente raggiungibile di volta in volta e di quanto di sperabile le autorità politiche ed economiche ci offrono, la nostra vita si riduce ben presto ad essere priva di speranza. È importante sapere: io posso sempre ancora sperare, anche se per la mia vita o per il momento storico che sto vivendo apparentemente non ho più niente da sperare. Solo la grande speranza-certezza che, nonostante tutti i fallimenti, la mia vita personale e la storia nel suo insieme sono custodite nel potere indistruttibile dell'Amore e, grazie ad esso, hanno per esso un senso e un'importanza, solo una tale speranza può in quel caso dare ancora il coraggio di operare e di proseguire. Certo, non possiamo «costruire» il regno di Dio con le nostre forze – ciò che costruiamo rimane sempre regno dell'uomo con tutti i limiti che sono propri della natura umana. Il regno di Dio è un dono, e proprio per questo è grande e bello e costituisce la risposta alla speranza. E non possiamo – per usare la terminologia classica – «meritare» il cielo con le nostre opere. Esso è sempre più di quello che meritiamo, così come l'essere amati non è mai una cosa «meritata», ma sempre un dono. Tuttavia, con tutta la nostra consapevolezza del «plusvalore» del cielo, rimane anche sempre vero che il nostro agire non è indifferente davanti a Dio e quindi non è neppure indifferente per lo svolgimento della storia. Possiamo aprire noi stessi e il mondo all'ingresso di Dio: della verità, dell'amore, del bene. È quanto hanno fatto i santi che, come «collaboratori di Dio», hanno contribuito alla salvezza del mondo (cfr *1 Cor* 3,9; *1 Ts* 3,2). Possiamo liberare la nostra vita e il mondo dagli avvelenamenti e dagli inquinamenti che potrebbero distruggere il presente e il futuro. Possiamo scoprire e tenere pulite le fonti della creazione e così, insieme con la creazione che ci precede come dono, fare ciò che è giusto secondo le sue intrinseche esigenze e la sua finalità. Ciò conserva un senso anche se, per quel che appare, non abbiamo successo o sembriamo impotenti di fronte al sopravvento di forze ostili. Così, per un verso, dal nostro operare scaturisce speranza per noi e per gli altri; allo stesso tempo, però, è la grande speranza poggiante sulle promesse di Dio che, nei momenti buoni come in quelli cattivi, ci dà coraggio e orienta il nostro agire.

36.   Come l'agire, anche la sofferenza fa parte dell'esistenza umana. Essa deriva, da una parte, dalla nostra finitezza, dall'altra, dalla massa di colpa che, nel corso della storia, si è accumulata e anche nel presente cresce in modo inarrestabile. Certamente bisogna fare tutto il possibile per diminuire la sofferenza: impedire, per quanto possibile, la sofferenza degli innocenti; calmare i dolori; aiutare a superare le sofferenze psichiche. Sono tutti doveri sia della giustizia che dell'amore che rientrano nelle esigenze fondamentali dell'esistenza cristiana e di ogni vita veramente umana. Nella lotta contro il dolore fisico si è riusciti a fare grandi progressi; la sofferenza degli innocenti e anche le sofferenze psichiche sono piuttosto aumentate nel corso degli ultimi decenni. Sì, dobbiamo fare di tutto per superare la sofferenza, ma eliminarla completamente dal mondo non sta nelle nostre possibilità – semplicemente perché non possiamo scuoterci di dosso la nostra finitezza e perché nessuno di noi è in grado di eliminare il potere del male, della colpa che – lo vediamo – è continuamente fonte di sofferenza. Questo potrebbe realizzarlo solo Dio: solo un Dio che personalmente entra nella storia facendosi uomo e soffre in essa. Noi sappiamo che questo Dio c'è e che perciò questo potere che «toglie il peccato del mondo» (*Gv* 1,29) è presente nel mondo. Con la fede nell'esistenza di questo potere, è emersa nella storia la speranza della guarigione del mondo. Ma si tratta, appunto, di speranza e non ancora di compimento; speranza che ci dà il coraggio di metterci dalla parte del bene anche là dove la cosa sembra senza speranza, nella consapevolezza che, stando allo svolgimento della storia così come appare all'esterno, il potere della colpa rimane anche nel futuro una presenza terribile.

37. Ritorniamo al nostro tema. Possiamo cercare di limitare la sofferenza, di lottare contro di essa, ma non possiamo eliminarla. Proprio là dove gli uomini, nel tentativo di evitare ogni sofferenza, cercano di sottrarsi a tutto ciò che potrebbe significare patimento, là dove vogliono risparmiarsi la fatica e il dolore della verità, dell'amore, del bene, scivolano in una vita vuota, nella quale forse non esiste quasi più il dolore, ma si ha tanto maggiormente l'oscura sensazione della mancanza di senso e della solitudine. Non è lo scansare la sofferenza, la fuga davanti al dolore, che guarisce l'uomo, ma la capacità di accettare la tribolazione e in essa di maturare, di trovare senso mediante l'unione con Cristo, che ha sofferto con infinito amore. Vorrei in questo contesto citare alcune frasi di una lettera del martire vietnamita Paolo Le-Bao-Thin († 1857), nelle quali diventa evidente questa trasformazione della sofferenza mediante la forza della speranza che proviene dalla fede. «Io, Paolo, prigioniero per il nome di Cristo, voglio farvi conoscere le tribolazioni nelle quali quotidianamente sono immerso, perché infiammati dal divino amore innalziate con me le vostre lodi a Dio: eterna è la sua misericordia (cfr *Sal* 136 [135]). Questo carcere è davvero un'immagine dell'inferno eterno: ai crudeli supplizi di ogni genere, come i ceppi, le catene di ferro, le funi, si aggiungono odio, vendette, calunnie, parole oscene, false accuse, cattiverie, giuramenti iniqui, maledizioni e infine angoscia e tristezza. Dio, che liberò i tre giovani dalla fornace ardente, mi è sempre vicino; e ha liberato anche me da queste tribolazioni, trasformandole in dolcezza: eterna è la sua misericordia. In mezzo a questi tormenti, che di solito piegano e spezzano gli altri, per la grazia di Dio sono pieno di gioia e letizia, perché non sono solo, ma Cristo è con me [...] Come sopportare questo orrendo spettacolo, vedendo ogni giorno imperatori, mandarini e i loro cortigiani, che bestemmiano il tuo santo nome, Signore, che siedi sui Cherubini (cfr *Sal* 80 [79], 2) e i Serafini? Ecco, la tua croce è calpestata dai piedi dei pagani! Dov'è la tua gloria? Vedendo tutto questo preferisco, nell'ardore della tua carità, aver tagliate le membra e morire in testimonianza del tuo amore. Mostrami, Signore, la tua potenza, vieni in mio aiuto e salvami, perché nella mia debolezza sia manifestata e glorificata la tua forza davanti alle genti [...] Fratelli carissimi, nell'udire queste cose, esultate e innalzate un perenne inno di grazie a Dio, fonte di ogni bene, e beneditelo con me: eterna è la sua misericordia. [...] Vi scrivo tutto questo, perché la vostra e la mia fede formino una cosa sola. Mentre infuria la tempesta, getto l'ancora fino al trono

di Dio: speranza viva, che è nel mio cuore...».[28]
Questa è una lettera dall'«inferno». Si palesa tutto l'orrore di un campo di concentramento, in cui ai tormenti da parte dei tiranni s'aggiunge lo scatenamento del male nelle stesse vittime che, in questo modo, diventano pure esse ulteriori strumenti della crudeltà degli aguzzini. È una lettera dall'inferno, ma in essa si avvera la parola del *Salmo*: «Se salgo in cielo, là tu sei, se scendo negli inferi, eccoti [...] Se dico: "Almeno l'oscurità mi copra" [...] nemmeno le tenebre per te sono oscure, e la notte è chiara come il giorno; per te le tenebre sono come luce» (*Sal* 139 [138] 8-12; cfr anche *Sal* 23 [22],4). Cristo è disceso nell'«inferno» e così è vicino a chi vi viene gettato, trasformando per lui le tenebre in luce. La sofferenza, i tormenti restano terribili e quasi insopportabili. È sorta, tuttavia, la stella della speranza – l'ancora del cuore giunge fino al trono di Dio. Non viene scatenato il male nell'uomo, ma vince la luce: la sofferenza – senza cessare di essere sofferenza – diventa nonostante tutto canto di lode.

[28] Breviario Romano, Ufficio delle Letture, 24 novembre.

38. La misura dell'umanità si determina essenzialmente nel rapporto con la sofferenza e col sofferente. Questo vale per il singolo come per la società. Una società che non riesce ad accettare i sofferenti e non è capace di contribuire mediante la com-passione a far sì che la sofferenza venga condivisa e portata anche interiormente è una società crudele e disumana. La società, però, non può accettare i sofferenti e sostenerli nella loro sofferenza, se i singoli non sono essi stessi capaci di ciò e, d'altra parte, il singolo non può accettare la sofferenza dell'altro se egli personalmente non riesce a trovare nella sofferenza un senso, un cammino di purificazione e di maturazione, un cammino di speranza. Accettare l'altro che soffre significa, infatti, assumere in qualche modo la sua sofferenza, cosicché essa diventa anche mia. Ma proprio perché ora è divenuta sofferenza condivisa, nella quale c'è la presenza di un altro, questa sofferenza è penetrata dalla luce dell'amore. La parola latina *con-solatio*, consolazione, lo esprime in maniera molto bella suggerendo un essere-con nella solitudine, che allora non è più solitudine. Ma anche la capacità di accettare la sofferenza per amore del bene, della verità e della giustizia è costitutiva per la misura dell'umanità, perché se, in definitiva, il mio benessere, la mia incolumità è più importante della verità e della giustizia, allora vige il dominio del più forte; allora regnano la violenza e la menzogna. La verità e la giustizia devono stare al di sopra della mia comodità ed incolumità fisica, altrimenti la mia stessa vita diventa menzogna. E infine, anche il «sì» all'amore è fonte di sofferenza, perché l'amore esige sempre espropriazioni del mio io, nelle quali mi lascio potare e ferire. L'amore non può affatto esistere senza questa rinuncia anche dolorosa a me stesso, altrimenti diventa puro egoismo e, con ciò, annulla se stesso come tale.

39.   Soffrire con l'altro, per gli altri; soffrire per amore della verità e della giustizia; soffrire a causa dell'amore e per diventare una persona che ama veramente – questi sono elementi fondamentali di umanità, l'abbandono dei quali distruggerebbe l'uomo stesso. Ma ancora una volta sorge la domanda: ne siamo capaci? È l'altro sufficientemente importante, perché per lui io diventi una persona che soffre? È per me la verità tanto importante da ripagare la sofferenza? È così grande la promessa dell'amore da giustificare il dono di me stesso? Alla fede cristiana, nella storia dell'umanità, spetta proprio questo merito di aver suscitato nell'uomo in maniera nuova e a una profondità nuova la capacità di tali modi di soffrire che sono decisivi per la sua umanità. La fede cristiana ci ha mostrato che verità, giustizia, amore non sono semplicemente ideali, ma realtà di grandissima densità. Ci ha mostrato, infatti, che Dio – la Verità e l'Amore in persona – ha voluto soffrire per noi e con noi. Bernardo di Chiaravalle ha coniato la meravigliosa espressione: *Impassibilis est Deus, sed non incompassibilis*[29] – Dio non può patire, ma può compatire. L'uomo ha per Dio un valore così grande da essersi Egli stesso fatto uomo per poter com-patire con l'uomo, in modo molto reale, in carne e sangue, come ci viene dimostrato nel racconto della Passione di Gesù. Da lì in ogni sofferenza umana è entrato uno che condivide la sofferenza e la sopportazione; da lì si diffonde in ogni sofferenza la *con-solatio*, la consolazione dell'amore

[29] *Sermones in Cant., Serm.* 26,5: *PL* 183, 906.

partecipe di Dio e così sorge la stella della speranza. Certo, nelle nostre molteplici sofferenze e prove abbiamo sempre bisogno anche delle nostre piccole o grandi speranze – di una visita benevola, della guarigione da ferite interne ed esterne, della risoluzione positiva di una crisi, e così via. Nelle prove minori questi tipi di speranza possono anche essere sufficienti. Ma nelle prove veramente gravi, nelle quali devo far mia la decisione definitiva di anteporre la verità al benessere, alla carriera, al possesso, la certezza della vera, grande speranza, di cui abbiamo parlato, diventa necessaria. Anche per questo abbiamo bisogno di testimoni, di martiri, che si sono donati totalmente, per farcelo da loro dimostrare – giorno dopo giorno. Ne abbiamo bisogno per preferire, anche nelle piccole alternative della quotidianità, il bene alla comodità – sapendo che proprio così viviamo veramente la vita. Diciamolo ancora una volta: la capacità di soffrire per amore della verità è misura di umanità. Questa capacità di soffrire, tuttavia, dipende dal genere e dalla misura della speranza che portiamo dentro di noi e sulla quale costruiamo. I santi poterono percorrere il grande cammino dell'essere-uomo nel modo in cui Cristo lo ha percorso prima di noi, perché erano ricolmi della grande speranza.

40.   Vorrei aggiungere ancora una piccola annotazione non del tutto irrilevante per le vicende di ogni giorno. Faceva parte di una forma di devozione, oggi forse meno praticata, ma non molto tempo fa ancora assai diffusa, il pensiero di poter « offrire » le piccole fatiche del quotidiano, che ci colpiscono sempre di nuovo come punzecchiature più o meno fastidiose, conferendo così ad esse un senso. In questa devozione c'erano senz'altro cose esagerate e forse anche malsane, ma bisogna domandarsi se non vi era contenuto in qualche modo qualcosa di essenziale che potrebbe essere di aiuto. Che cosa vuol dire « offrire »? Queste persone erano convinte di poter inserire nel grande com-patire di Cristo le loro piccole fatiche, che entravano così a far parte in qualche modo del tesoro di compassione di cui il genere umano ha bisogno. In questa maniera anche le piccole seccature del quotidiano potrebbero acquistare un senso e contribuire all'economia del bene, dell'amore tra gli uomini. Forse dovremmo davvero chiederci se una tale cosa non potrebbe ridiventare una prospettiva sensata anche per noi.

III. Il Giudizio come luogo di apprendimento e di esercizio della speranza

41. Nel grande *Credo* della Chiesa la parte centrale, che tratta del mistero di Cristo a partire dalla nascita eterna dal Padre e dalla nascita temporale dalla Vergine Maria per giungere attraverso la croce e la risurrezione fino al suo ritorno, si conclude con le parole: «...di nuovo verrà nella gloria per giudicare i vivi e i morti». La prospettiva del Giudizio, già dai primissimi tempi, ha influenzato i cristiani fin nella loro vita quotidiana come criterio secondo cui ordinare la vita presente, come richiamo alla loro coscienza e, al contempo, come speranza nella giustizia di Dio. La fede in Cristo non ha mai guardato solo indietro né mai solo verso l'alto, ma sempre anche in avanti verso l'ora della giustizia che il Signore aveva ripetutamente preannunciato. Questo sguardo in avanti ha conferito al cristianesimo la sua importanza per il presente. Nella conformazione degli edifici sacri cristiani, che volevano rendere visibile la vastità storica e cosmica della fede in Cristo, diventò abituale rappresentare sul lato orientale il Signore che ritorna come re – l'immagine della speranza –, sul lato occidentale, invece, il Giudizio finale come immagine della responsabilità per la nostra vita, una raffigurazione che guardava ed accompagnava i fedeli proprio nel loro cammino verso la quotidianità. Nello sviluppo dell'iconografia, però, è poi stato dato sempre più risalto all'aspetto minaccioso e lugubre del Giudizio, che ovviamente affascinava gli artisti più dello splendore della speranza, che spesso veniva eccessivamente nascosto sotto la minaccia.

42. Nell'epoca moderna il pensiero del Giudizio finale sbiadisce: la fede cristiana viene individualizzata ed è orientata soprattutto verso la salvezza personale dell'anima; la riflessione sulla storia universale, invece, è in gran parte dominata dal pensiero del progresso. Il contenuto fondamentale dell'attesa del Giudizio, tuttavia, non è semplicemente scomparso. Ora però assume una forma totalmente diversa. L'ateismo del XIX e del XX secolo è, secondo le sue radici e la sua finalità, un moralismo: una protesta contro le ingiustizie del mondo e della storia universale. Un mondo, nel quale esiste una tale misura di ingiustizia, di sofferenza degli innocenti e di cinismo del potere, non può essere l'opera di un Dio buono. Il Dio che avesse la responsabilità di un simile mondo, non sarebbe un Dio giusto e ancor meno un Dio buono. È in nome della morale che bisogna contestare questo Dio. Poiché non c'è un Dio che crea giustizia, sembra che l'uomo stesso ora sia chiamato a stabilire la giustizia. Se di fronte alla sofferenza di questo mondo la protesta contro Dio è comprensibile, la pretesa che l'umanità possa e debba fare ciò che nessun Dio fa né è in grado di fare, è presuntuosa ed intrinsecamente non vera. Che da tale premessa siano conseguite le più grandi crudeltà e violazioni della giustizia non è un caso, ma è fondato nella falsità intrinseca di questa pretesa. Un mondo che si deve creare da sé la sua giustizia è un mondo senza speranza. Nessuno e niente risponde per la sofferenza dei secoli. Nessuno e niente garantisce che il cinismo del potere – sotto qualunque accattivante rivestimento ideologico si presenti – non continui a spadroneggiare nel mondo. Così i grandi pensatori della scuola di Francoforte, Max Horkheimer e Theodor W. Adorno, hanno criticato in ugual modo l'ateismo come il teismo. Horkheimer ha radicalmente escluso che possa essere trovato un qualsiasi surrogato immanente per Dio, rifiutando allo stesso tempo però anche l'immagine del Dio buono e giusto. In una radicalizzazione estrema del divieto veterotestamentario delle immagini, egli parla della «nostalgia del totalmente Altro» che rimane inaccessibile – un grido del desiderio rivolto alla storia universale. Anche Adorno si è attenuto decisamente a questa rinuncia ad ogni immagine che, appunto, esclude anche l'«immagine» del Dio che ama. Ma egli ha anche sempre di nuovo sottolineato questa dialettica «negativa» e ha affermato che giustizia, una vera giustizia, richiederebbe un mondo «in cui non solo la sofferenza presente fosse annullata, ma anche revocato ciò che è irrevocabilmente passato».[30] Questo, però, significherebbe – espresso in simboli positivi e quindi per lui inadeguati – che giustizia non può esserci senza

[30] *Negative Dialektik* (1966) Terza parte, III, 11, in: Gesammelte Schriften Bd. VI, Frankfurt/Main 1973, 395.

risurrezione dei morti. Una tale prospettiva, tuttavia, comporterebbe «la risurrezione della carne, una cosa che all'idealismo, al regno dello spirito assoluto, è totalmente estranea».[31]

43. Dalla rigorosa rinuncia ad ogni immagine, che fa parte del primo Comandamento di Dio (cfr *Es* 20,4), può e deve imparare sempre di nuovo anche il cristiano. La verità della teologia negativa è stata posta in risalto dal IV Concilio Lateranense il quale ha dichiarato esplicitamente che, per quanto grande possa essere la somiglianza costatata tra il Creatore e la creatura, sempre più grande è tra di loro la dissomiglianza.[32] Per il credente, tuttavia, la rinuncia ad ogni immagine non può spingersi fino al punto da doversi fermare, come vorrebbero Horkheimer e Adorno, nel «no» ad ambedue le tesi, al teismo e all'ateismo. Dio stesso si è dato un' «immagine»: nel Cristo che si è fatto uomo. In Lui, il Crocifisso, la negazione di immagini sbagliate di Dio è portata all'estremo. Ora Dio rivela il suo Volto proprio nella figura del sofferente che condivide la con-

[31] *Ibid.*, Seconda parte, 207.
[32] DS 806.

dizione dell'uomo abbandonato da Dio, prendendola su di sé. Questo sofferente innocente è diventato speranza-certezza: Dio c'è, e Dio sa creare la giustizia in un modo che noi non siamo capaci di concepire e che, tuttavia, nella fede possiamo intuire. Sì, esiste la risurrezione della carne.[33] Esiste una giustizia.[34] Esiste la « revoca » della sofferenza passata, la riparazione che ristabilisce il diritto. Per questo la fede nel Giudizio finale è innanzitutto e soprattutto speranza – quella speranza, la cui necessità si è resa evidente proprio negli sconvolgimenti degli ultimi secoli. Io sono convinto che la questione della giustizia costituisce l'argomento essenziale, in ogni caso l'argomento più forte, in favore della fede nella vita eterna. Il bisogno soltanto individuale di un appagamento che in questa vita ci è negato, dell'immortalità dell'amore che attendiamo, è certamente un motivo importante per credere che l'uomo sia fatto per l'eternità; ma solo in collegamento con l'impossibilità che

---

[33] Cfr *Catechismo della Chiesa Cattolica,* nn. 988-1004.
[34] Cfr *ibid.*, n. 1040.

l'ingiustizia della storia sia l'ultima parola, diviene pienamente convincente la necessità del ritorno di Cristo e della nuova vita.

44. La protesta contro Dio in nome della giustizia non serve. Un mondo senza Dio è un mondo senza speranza (cfr *Ef* 2,12). Solo Dio può creare giustizia. E la fede ci dà la certezza: Egli lo fa. L'immagine del Giudizio finale è in primo luogo non un'immagine terrificante, ma un'immagine di speranza; per noi forse addirittura l'immagine decisiva della speranza. Ma non è forse anche un'immagine di spavento? Io direi: è un'immagine che chiama in causa la responsabilità. Un'immagine, quindi, di quello spavento di cui sant'Ilario dice che ogni nostra paura ha la sua collocazione nell'amore.[35] Dio è giustizia e crea giustizia. È questa la nostra consolazione e la nostra speranza. Ma nella sua giustizia è insieme anche grazia. Questo lo sappiamo volgendo lo sguardo sul Cristo crocifisso e risorto. Ambedue – giustizia e grazia – devono essere viste nel loro giusto collegamento interiore. La grazia non

[35] Cfr *Tractatus super Psalmos, Ps.* 127, 1-3: *CSEL* 22, 628-630.

esclude la giustizia. Non cambia il torto in diritto. Non è una spugna che cancella tutto così che quanto s'è fatto sulla terra finisca per avere sempre lo stesso valore. Contro un tale tipo di cielo e di grazia ha protestato a ragione, per esempio, Dostoëvskij nel suo romanzo «*I fratelli Karamazov*». I malvagi alla fine, nel banchetto eterno, non siederanno indistintamente a tavola accanto alle vittime, come se nulla fosse stato. Vorrei a questo punto citare un testo di Platone che esprime un presentimento del giusto giudizio che in gran parte rimane vero e salutare anche per il cristiano. Pur con immagini mitologiche, che però rendono con evidenza inequivocabile la verità, egli dice che alla fine le anime staranno nude davanti al giudice. Ora non conta più ciò che esse erano una volta nella storia, ma solo ciò che sono in verità. «Ora [il giudice] ha davanti a sé forse l'anima di un [...] re o dominatore e non vede niente di sano in essa. La trova flagellata e piena di cicatrici provenienti da spergiuro ed ingiustizia [...] e tutto è storto, pieno di menzogna e superbia, e niente è dritto, perché essa è cresciuta senza verità. Ed egli vede come l'anima, a causa di arbitrio, esuberanza, spavalderia e sconsideratezza nell'agire, è caricata di smisuratezza ed infamia. Di fronte a un tale spettacolo, egli la manda subito nel carcere, dove subirà le punizioni meritate [...] A volte, però, egli vede davanti a sé un'anima diversa, una che ha fatto una vita pia e sincera [...], se ne compiace e la manda senz'altro alle isole dei beati».[36] Gesù, nella parabola del ricco epulone e del povero Lazzaro (cfr *Lc* 16,19-31), ha presentato a nostro ammonimento l'immagine di una tale anima devastata dalla spavalderia e dall'opulenza, che ha creato essa stessa una fossa invalicabile tra sé e il povero: la fossa della chiusura entro i piaceri materiali, la fossa della dimenticanza dell'altro, dell'incapacità di amare, che si trasforma ora in una sete ardente e ormai irrimediabile. Dobbiamo qui rilevare che Gesù in questa parabola non parla del destino definitivo dopo il Giudizio universale, ma riprende una concezione che si trova, fra altre, nel giudaismo antico, quella cioè di una condizione intermedia tra morte e risurrezione, uno stato in cui la sentenza ultima manca ancora.

[36] *Gorgia* 525a-526c.

45.   Questa idea vetero-giudaica della condizione intermedia include l'opinione che le anime non si trovano semplicemente in una sorta di custodia provvisoria, ma subiscono già una punizione, come dimostra la parabola del ricco epulone, o invece godono già di forme provvisorie di beatitudine. E infine non manca il pensiero che in questo stato siano possibili anche purificazioni e guarigioni, che rendono l'anima matura per la comunione con Dio. La Chiesa primitiva ha ripreso tali concezioni, dalle quali poi, nella Chiesa occidentale, si è sviluppata man mano la dottrina del purgatorio. Non abbiamo bisogno di prendere qui in esame le vie storiche complicate di questo sviluppo; chiediamoci soltanto di che cosa realmente si tratti. Con la morte, la scelta di vita fatta dall'uomo diventa definitiva – questa sua vita sta davanti al Giudice. La sua scelta, che nel corso dell'intera vita ha preso forma, può avere caratteri diversi. Possono esserci persone che hanno distrutto totalmente in se stesse il desiderio della verità e la disponibilità all'amore. Persone in cui tutto è diventato menzogna; persone che hanno vissuto per l'odio e hanno calpestato in se stesse l'amore. È questa una prospettiva terribile, ma alcune figure della stessa nostra storia lasciano discernere in modo spaventoso profili di tal genere. In simili individui non ci sarebbe più niente di rimediabile e la distruzione del bene sarebbe irrevocabile: è questo che si indica con la parola *inferno*.[37] Dall'altra parte possono esserci persone purissime, che si sono lasciate interamente penetrare da Dio e di conseguenza sono totalmente aperte al prossimo – persone, delle quali la comunione con Dio orienta già fin d'ora l'intero essere e il cui andare verso Dio conduce solo a compimento ciò che ormai sono.[38]

46. Secondo le nostre esperienze, tuttavia, né l'uno né l'altro è il caso normale dell'esistenza umana. Nella gran parte degli uomini – così possiamo supporre – rimane presente nel più profondo della loro essenza un'ultima apertura interiore per la verità, per l'amore, per Dio. Nelle concrete scelte di vita, però, essa è ricoperta da sempre nuovi compromessi col male – molta sporcizia copre la purezza, di cui, tuttavia, è rima-

[37] Cfr *Catechismo della Chiesa Cattolica,* nn. 1033-1037.
[38] Cfr *ibid.,* nn. 1023-1029.

sta la sete e che, ciononostante, riemerge sempre di nuovo da tutta la bassezza e rimane presente nell'anima. Che cosa avviene di simili individui quando compaiono davanti al Giudice? Tutte le cose sporche che hanno accumulate nella loro vita diverranno forse di colpo irrilevanti? O che cosa d'altro accadrà? San Paolo, nella *Prima Lettera ai Corinzi*, ci dà un'idea del differente impatto del giudizio di Dio sull'uomo a seconda delle sue condizioni. Lo fa con immagini che vogliono in qualche modo esprimere l'invisibile, senza che noi possiamo trasformare queste immagini in concetti – semplicemente perché non possiamo gettare lo sguardo nel mondo al di là della morte né abbiamo alcuna esperienza di esso. Paolo dice dell'esistenza cristiana innanzitutto che essa è costruita su un fondamento comune: Gesù Cristo. Questo fondamento resiste. Se siamo rimasti saldi su questo fondamento e abbiamo costruito su di esso la nostra vita, sappiamo che questo fondamento non ci può più essere sottratto neppure nella morte. Poi Paolo continua: «Se, sopra questo fondamento, si costruisce con oro, argento, pietre preziose, legno, fieno, paglia, l'opera di ciascuno sarà ben visibile: la farà conoscere quel giorno che si manifesterà col fuoco, e il fuoco proverà la qualità dell'opera di ciascuno. Se l'opera che uno costruì sul fondamento resisterà, costui ne riceverà una ricompensa; ma se l'opera finirà bruciata, sarà punito: tuttavia egli si salverà, però come attraverso il fuoco» (3,12-15). In questo testo, in ogni caso, diventa evidente che il salvamento degli uomini può avere forme diverse; che alcune cose edificate possono bruciare fino in fondo; che per salvarsi bisogna attraversare in prima persona il «fuoco» per diventare definitivamente capaci di Dio e poter prendere posto alla tavola dell'eterno banchetto nuziale.

47. Alcuni teologi recenti sono dell'avviso che il fuoco che brucia e insieme salva sia Cristo stesso, il Giudice e Salvatore. L'incontro con Lui è l'atto decisivo del Giudizio. Davanti al suo sguardo si fonde ogni falsità. È l'incontro con Lui che, bruciandoci, ci trasforma e ci libera per farci diventare veramente noi stessi. Le cose edificate durante la vita possono allora rivelarsi paglia secca, vuota millanteria e crollare. Ma nel dolore di questo incontro, in cui l'impuro ed il malsano del nostro essere si rendono a noi evidenti, sta la salvezza. Il suo sguardo, il tocco del suo cuore ci risana mediante una trasformazione certamente dolorosa «come attraverso il fuoco». È, tuttavia, un dolore beato, in cui il potere santo del suo amore ci penetra come fiamma, consentendoci alla fine di essere totalmente noi stessi e con ciò totalmente di Dio. Così si rende evidente anche la compenetrazione di giustizia e grazia: il nostro modo di vivere non è irrilevante, ma la nostra sporcizia non ci macchia eternamente, se almeno siamo rimasti protesi verso Cristo, verso la verità e verso l'amore. In fin dei conti, questa sporcizia è già stata bruciata nella Passione di Cristo. Nel momento del Giudizio sperimentiamo ed accogliamo questo prevalere del suo amore su tutto il male nel mondo ed in noi. Il dolore dell'amore diventa la nostra salvezza e la nostra gioia. È chiaro che la «durata» di questo bruciare che trasforma non la possiamo calcolare con le misure cronometriche di questo mondo. Il «momento» trasformatore di questo incontro sfugge al cronometraggio terreno – è tempo del cuore, tempo del «passaggio» alla comunione con Dio nel Corpo di Cristo.[39] Il Giudizio di Dio è speranza sia perché è giustizia, sia perché è grazia. Se fosse soltanto grazia che rende irrilevante tutto ciò che è terreno, Dio resterebbe a noi debitore della risposta alla domanda circa la giustizia – domanda per noi decisiva davanti alla storia e a Dio stesso. Se fosse pura giustizia, potrebbe essere alla fine per tutti noi solo motivo di paura. L'incarnazione di Dio in Cristo ha collegato talmente l'uno con l'altra – giudizio e grazia – che la giustizia viene stabilita con fermezza: tutti noi attendiamo alla nostra salvezza «con timore e tremore» (*Fil* 2,12). Ciononostante la grazia consente a noi tutti di sperare e di andare pieni di fiducia incontro al Giudice che conosciamo come nostro «avvocato», *parakletos* (cfr *1 Gv* 2,1).

48. Un motivo ancora deve essere qui menzionato, perché è importante per la prassi della speranza cristiana. Nell'antico giudaismo esiste pure il pensiero che si possa venire in aiuto ai defunti nella loro condizione intermedia

---

[39] Cfr *Catechismo della Chiesa Cattolica,* nn. 1030-1032.

per mezzo della preghiera (cfr per esempio *2 Mac* 12,38-45: I secolo a.C.). La prassi corrispondente è stata adottata dai cristiani con molta naturalezza ed è comune alla Chiesa orientale ed occidentale. L'Oriente non conosce una sofferenza purificatrice ed espiatrice delle anime nell'«aldilà», ma conosce, sì, diversi gradi di beatitudine o anche di sofferenza nella condizione intermedia. Alle anime dei defunti, tuttavia, può essere dato «ristoro e refrigerio» mediante l'Eucaristia, la preghiera e l'elemosina. Che l'amore possa giungere fin nell'aldilà, che sia possibile un vicendevole dare e ricevere, nel quale rimaniamo legati gli uni agli altri con vincoli di affetto oltre il confine della morte – questa è stata una convinzione fondamentale della cristianità attraverso tutti i secoli e resta anche oggi una confortante esperienza. Chi non proverebbe il bisogno di far giungere ai propri cari già partiti per l'aldilà un segno di bontà, di gratitudine o anche di richiesta di perdono? Ora ci si potrebbe domandare ulteriormente: se il «purgatorio» è semplicemente l'essere purificati mediante il fuoco nell'incontro con il Signore, Giudice e Salvatore, come può allora

intervenire una terza persona, anche se particolarmente vicina all'altra? Quando poniamo una
simile domanda, dovremmo renderci conto che
nessun uomo è una monade chiusa in se stessa.
Le nostre esistenze sono in profonda comunione
tra loro, mediante molteplici interazioni sono
concatenate una con l'altra. Nessuno vive da solo.
Nessuno pecca da solo. Nessuno viene salvato da
solo. Continuamente entra nella mia vita quella
degli altri: in ciò che penso, dico, faccio, opero. E
viceversa, la mia vita entra in quella degli altri: nel
male come nel bene. Così la mia intercessione per
l'altro non è affatto una cosa a lui estranea, una
cosa esterna, neppure dopo la morte. Nell'intreccio dell'essere, il mio ringraziamento a lui, la mia
preghiera per lui può significare una piccola tappa
della sua purificazione. E con ciò non c'è bisogno
di convertire il tempo terreno nel tempo di Dio:
nella comunione delle anime viene superato il
semplice tempo terreno. Non è mai troppo tardi
per toccare il cuore dell'altro né è mai inutile.
Così si chiarisce ulteriormente un elemento importante del concetto cristiano di speranza. La
nostra speranza è sempre essenzialmente anche
speranza per gli altri; solo così essa è veramente

speranza anche per me.[40] Da cristiani non dovremmo mai domandarci solamente: come posso salvare me stesso? Dovremmo domandarci anche: che cosa posso fare perché altri vengano salvati e sorga anche per altri la stella della speranza? Allora avrò fatto il massimo anche per la mia salvezza personale.

Maria, stella della speranza

49. Con un inno dell'VIII/IX secolo, quindi da più di mille anni, la Chiesa saluta Maria, la Madre di Dio, come «stella del mare»: *Ave maris stella*. La vita umana è un cammino. Verso quale meta? Come ne troviamo la strada? La vita è come un viaggio sul mare della storia, spesso oscuro ed in burrasca, un viaggio nel quale scrutiamo gli astri che ci indicano la rotta. Le vere stelle della nostra vita sono le persone cha hanno saputo vivere rettamente. Esse sono luci di speranza. Certo, Gesù Cristo è la luce per antonomasia, il sole sorto sopra tutte le tenebre della storia. Ma per giungere fino a Lui abbiamo bisogno anche di luci vicine – di persone che donano

---

[40] Cfr *Catechismo della Chiesa Cattolica*, n. 1032.

luce traendola dalla sua luce ed offrono così orientamento per la nostra traversata. E quale persona potrebbe più di Maria essere per noi stella di speranza – lei che con il suo «sì» aprì a Dio stesso la porta del nostro mondo; lei che diventò la vivente Arca dell'Alleanza, in cui Dio si fece carne, divenne uno di noi, piantò la sua tenda in mezzo a noi (cfr *Gv* 1,14)?

50. A lei perciò ci rivolgiamo: Santa Maria, tu appartenevi a quelle anime umili e grandi in Israele che, come Simeone, aspettavano «il conforto d'Israele» (*Lc* 2,25) e attendevano, come Anna, «la redenzione di Gerusalemme» (*Lc* 2,38). Tu vivevi in intimo contatto con le Sacre Scritture di Israele, che parlavano della speranza – della promessa fatta ad Abramo ed alla sua discendenza (cfr *Lc* 1,55). Così comprendiamo il santo timore che ti assalì, quando l'angelo del Signore entrò nella tua camera e ti disse che tu avresti dato alla luce Colui che era la speranza di Israele e l'attesa del mondo. Per mezzo tuo, attraverso il tuo «sì», la speranza dei millenni doveva diventare realtà, entrare in questo mondo e nella sua storia. Tu ti sei inchinata davanti alla grandezza di questo compito e hai detto «sì»: «Eccomi, sono la serva del Signore, avvenga di me quello che hai detto» (*Lc* 1,38). Quando piena di santa gioia attraversasti in fretta i monti della Giudea per raggiungere la tua parente Elisabetta, diventasti l'immagine della futura Chiesa che, nel suo seno, porta la speranza del mondo attraverso i monti della storia. Ma accanto alla gioia che, nel tuo *Magnificat*, con le parole e col canto hai diffuso nei secoli, conoscevi pure le affermazioni oscure dei profeti sulla sofferenza del servo di Dio in questo mondo. Sulla nascita nella stalla di Betlemme brillò lo splendore degli angeli che portavano la buona novella ai pastori, ma al tempo stesso la povertà di Dio in questo mondo fu fin troppo sperimentabile. Il vecchio Simeone ti parlò della spada che avrebbe trafitto il tuo cuore (cfr *Lc* 2,35), del segno di contraddizione che il tuo Figlio sarebbe stato in questo mondo. Quando poi cominciò l'attività pubblica di Gesù, dovesti farti da parte, affinché potesse crescere la nuova famiglia, per la cui costituzione Egli era venuto e che avrebbe dovuto svilupparsi con l'apporto di coloro che avrebbero ascoltato e osservato la sua parola (cfr *Lc* 11,27s). Nonostante tutta la grandezza e la gioia del primo avvio dell'attività di Gesù tu, già nella sinagoga di Nazaret, dovesti sperimentare la verità della parola sul «segno di contraddizione» (cfr *Lc* 4,28ss). Così hai visto il crescente potere dell'ostilità e del rifiuto che progressivamente andava affermandosi intorno a Gesù fino all'ora della croce, in cui dovesti vedere il Salvatore del mondo, l'erede di Davide, il Figlio di Dio morire come un fallito, esposto allo scherno, tra i delinquenti. Accogliesti allora la parola: «Donna, ecco il tuo figlio!» (*Gv* 19,26). Dalla croce ricevesti una nuova missione. A partire dalla croce diventasti madre in una maniera nuova: madre di tutti coloro che vogliono credere nel tuo Figlio Gesù e seguirlo. La spada del dolore trafisse il tuo cuore. Era morta la speranza? Il mondo era rimasto definitivamente senza luce, la vita senza meta? In quell'ora, probabilmente, nel tuo intimo avrai ascoltato nuovamente la parola dell'angelo, con cui aveva risposto al tuo timore nel momento dell'annunciazione: «Non temere, Maria!» (*Lc* 1,30). Quante volte il Signore, il tuo Figlio, aveva detto la stessa cosa ai suoi discepoli: Non temete! Nella notte del Golgota, tu sentisti nuovamente questa parola. Ai suoi discepoli, prima dell'ora del tradimento, Egli aveva detto: «Abbiate coraggio! Io ho vinto il mondo» (*Gv* 16,33). «Non sia turbato il vostro cuore e non abbia timore» (*Gv* 14,27). «Non temere, Maria!» Nell'ora di Nazaret l'angelo ti aveva detto anche: «Il suo regno non avrà fine» (*Lc* 1,33). Era forse finito prima di cominciare? No, presso la croce, in base alla parola stessa di Gesù, tu eri diventata madre dei credenti. In questa fede, che anche nel buio del Sabato Santo era certezza della speranza, sei andata incontro al mattino di Pasqua. La gioia della risurrezione ha toccato il tuo cuore e ti ha unito in modo nuovo ai discepoli, destinati a diventare famiglia di Gesù mediante la fede. Così tu fosti in mezzo alla comunità dei credenti, che nei giorni dopo l'Ascensione pregavano unanimemente per il dono dello Spirito Santo (cfr *At* 1,14) e lo ricevettero nel giorno di Pentecoste. Il «regno» di Gesù era diverso da come gli uomini avevano potuto immaginarlo. Questo «regno» iniziava in quell'ora e non avrebbe avuto mai fine. Così tu rimani in mezzo ai discepoli come la loro Madre, come Madre della speranza. Santa Maria, Madre di Dio, Madre nostra, insegnaci a credere, sperare ed amare con te. Indicaci la via verso il suo regno! Stella del mare, brilla su di noi e guidaci nel nostro cammino!

Dato a Roma, presso San Pietro, il 30 novembre, festa di Sant'Andrea Apostolo, dell'anno 2007, terzo di Pontificato.

Benedictus PP XVI

INDICE

TIPOGRAFIA VATICANA